残余の声を聴く——沖縄・韓国・パレスチナ

目次

声のはじまり——序に代えて

早尾貴紀

1　民主主義の終わり？

今、この現在地はどのような局面にあるのだろうか。世界の各国では、リベラリズムに基づく民主主義が行き詰まり、排外主義的な傾向を強めているように見える。移民・難民を受け入れる側になる経済大国の反動化、「自国民第一主義」の流行は象徴的だ。他方で、そうした大国による、アジア・アフリカ・ラテンアメリカへの政治経済的な介入の仕方もまた、民主主義を軽視し、むしろ帝国主義的様相を見せている。日本もまた例外ではない。

その日本社会の現状を概観すると、二〇一五年の安全保障関連法により集団的自衛権の行使が合法化され、同盟国（つまるところ米軍）への軍事的な協力、すなわち海外派兵が可能になった。二〇一七年には事実上の「共謀罪」である「テロ等準備罪」が成立。そして、憲法九条改定も含めた改憲が具体的な日程にのぼってきている。改憲を進める与党・自民党は、自衛隊が憲法違反を問われることのないよう、軍隊を持つことのできる国家へと変えようとしている。同時にこの自民党の改憲方針には、戦後民主主義における「行き過ぎた個人主義」を「是正」すべく、「家族主義」と「愛国心」の強調が盛り込まれている。つまり、個人単位の社会保障を切り縮め、家族間の相互扶助に任せつつ、国民が国家に貢献することがいっそう求められるようになる。平和と自由を追求した（実現したとは言わないが追求はしていた）はずの「戦後民主主義」は挫折し潰えようとしているように見える。

沖縄における米軍基地建設をめぐる状況もまた、民主主義の破壊を表している。度重なる沖縄知事選挙（二〇一四年、一八年）、衆参国会議員選挙、そして県民投票（二〇一九年）などの結果、何度投票で基地建設に反対する沖縄の民意を示そうとも、日本政府は基地建設の方針を変えることはなかった。「憲法番外地」と呼ばれる沖縄県の状況は、中央政権による民意無視が露骨になってきたことで、むしろこの数年でより顕著になってきたように見える。

他方で、この「タカ派」安倍内閣（＝当時）による改憲・戦争への傾斜に対して、平成の「ハト派」天皇の護憲・平和への訴えがしばしば対置され、いわゆる左派・リベラル派とされる反戦・反改憲の立場の人々が天皇を礼賛するという現象が多々見られている。ここにも「戦後民主主義」の自滅が露呈している。天皇制そのものが持つ身分制と男女差別という民主主義との矛盾、天皇主権の下で行なわれた戦争に対する責任の問題、この二点で天皇制そのものの廃止が「昭和」の時代には問われ続けたはずだ。それが「平成」の三〇年間で霧散してしまったかのようだ。代替わりによって平成の天皇は言動の自由を得たかのごとく「お言葉」を連発し「戦没者慰霊の旅」を重ねたが、憲法で制約された「国事行為」を超えたそうした自発的な言動が批判されることなく、むしろ平和の使者として神格化され、最後には自らの意志で「生前退位」を実現させるという超法規的な在位の完結を見せた（一回限りの特例法によるが反復可能性・普遍性のない法は法とは呼べない）。

こうして日本社会は「令和」という時代を迎えたが、多くの言論人・知識人が代替わりに際して、新旧両天皇を賛美する見解をメディア上で示した。日本社会の批判的知性は圧倒的なナショナリズムを前に押し流されてしまったのだろうか。それとも代替わりを歓迎する世論に迎合しているのだろうか。あるいはそもそもこの程度で天皇制になびくぐらいに脆弱だったのだろうか。

この「令和」という元号をめぐっては、二つの正反対の兆候を示していることが指摘されている。一つには、この元号が安倍首相の強い指示で「国書」である『万葉集』を出典として考案されており、そのことについてこれでもかと言わんばかりに、首相自らが前面に立って「初の国書」=「脱漢書／脱中国」を強調した点だ。これはあからさまな政権による天皇制の政治利用であり、露骨な国粋主義の発露である。これもまた、不法とまでは言えないにせよ、天皇制を政治的にあえて無力化したはずの戦後民主主義の理念に反する行為であることは確かだ。しかし、にもかかわらず、この首相の反動的な言動は批判にさらされるどころか、新旧天皇礼賛と「令和フィーバー」とまで言われる熱狂状態のなかで、むしろ政権支持の強化につながってしまった。

もう一つの、この対極を示す兆候についてはのちに触れよう。

2 雑音、抵抗としての「残余の声」

率直なところ、私としてはこうした現状を思想的な後退、ほとんど惨憺たる頽廃であると認識している。しかし、ここでただ絶望しているわけにはいかない。もちろんこの状況を打破するような策や希望があるわけではないが、少なくとも目を向けるべきこと、考えるべきことがいくつかあるように思う。

一つには、どのようにして、いつからこの状況が生じてきたのか。その背景、原因への分析的な視角である。そこには日本社会に対する分析だけではなく、その変化を世界の同時代史のなかで位置づけることも必要だろう。なぜ、何が、どう後退なのかも、関連する具体的な地域との比較から見える大事なことがありうるからだ。

もう一つは、この圧倒的な時代の流れのなかでかき消されてきた、かき消されつつある「残余の声」に耳を傾け、それを拾い上げることである。どれだけ大きな流れが、ときに濁流のように襲ってきたとしても、あるいは全体主義のように周囲にじわじわと浸透してきても、それでもそれに抗う小さな声はどこか奥底できっと響いている。もしかするとその声は、誰にも聴き届けられずに消え去ってしまうかもしれない。あるいは、一人の声だと思ったものが、実は無数のサイレント・マジョリティの声の象徴であるかもしれない。あるいはそれは、明確な声や意志にもならず、何かの雑音や拒絶反応といったものであるかもしれない。それに耳を傾け拾い上げることで、何かしらの抵抗を示すことができるだろう。

たとえば「令和フィーバー」のさなかに響く「雑音」として、張衡『帰田賦』（二世紀頃）がある。『万葉集』研究者によって指摘されたように、出典となった一節「初春令月、気淑風和（初春の令月にして、気淑く風和ぎ）」は、『帰田賦』の一節「仲春令月、時和気清（仲春の令月、時は和し気は清む）」を借用して詠われたとされる。そもそも万葉集の全体が漢文で書かれており、中国の数々の漢籍の漢詩を学ぶことで成立している以上、「令和」に漢籍の典拠があるのはむしろ当然のことでしかないのだが、首相による「初の国書」「脱中国」の強調とは裏腹に、どれだけ日本文化が中国や朝鮮との歴史的な交流のなかで形成されてきたのか、漢詩の通底音が響いているのが聴き取れたことはその見事なまでの証左となっている。

さらに、ちょうどこの二〇一九年五月一日の改元を挟んだ時期に、日本の各地で映画「金子文子と朴烈」の上映がなされ、主にミニシアターにおいてではあったが一定数の観客を得ていることは、偶然にしては出来すぎのタイミングに見える。二〇一七年に韓国で制作されたこの映画で描かれる二人、朝鮮人の朴烈（バクヨル）と日本人の金子文子のカップルは、反植民地主義者・無政府主義者にして反天皇主義者であった。そして天皇暗殺の嫌疑で「大逆罪」を適用されて一九二三年に死刑判決を受けるが、この伝記的映画のなかでも繰り返し天皇制批判のセリフを二人は口にしていた。そして二人は、死刑判決後に「天皇の慈悲」による無期懲役への減刑という恩赦をも強い意志でもって拒絶した。すなわち、この映画が、二〇一九年二月から日本各地で上映され始め、五月一日を挟んで続いた。日本社会のほとんどのメディアが改元だ、新旧天皇の交代だと浮かれているまさにその時期に、天皇制批判を公然と唱える主人公の映画が一定数支持されたのだ。金子文子の獄中自伝そのものはまさにそうだが、この代替わりの熱狂のなかでこの映画に足を運ぶ人々もまた、抗う声を持っているのではあるまいか。

あるいは、私の個人的な回顧になるが、宮城県に在住していた一九九二年に、その宮城県から元「従軍慰安婦」であった在日朝鮮人の宋神道（ソンシンド）さんが実名でカミングアウト、翌一九九三年に日本政府を相手に謝罪と賠償を求めて訴訟を起こした。その年に私は地元の宮城県の大学に入学したこともあり、この実名告発には学生の時分には強い衝撃を受けた。宋さんの講演を聴き、宮城県からこの裁判傍聴に継続して参加することとなった（東京地裁・高裁）。戦争の記憶と証言の問題、植民地支配と民族差別の問題、戦時性暴力と日常的性差別の問題、これらすべてが自分の意識の内部に入ってきた。この宋さんの証言こそ「残余の声」であった。日本の裁判所は結局この声を聴き届けることはなかったが、少なからずの人々がこの声を汲み取り、それぞれ自分や社会を変えていくこととなった。

　この全体主義的とも言える頽廃状況のなかで、悲観して絶望するのでもなく楽観して希望を語るのでもなく、まずは小さな雑音、抗う声を聴くこと。それこそが大切であり、そこからしか何事も始まらないと思う。

3　転換期としての一九九〇年前後

　もう一つ先に挙げた可能性と課題は、時代背景への分析的な視角、世界の同時代史のなかでの位置づけであった。どんなときにも冷静な分析的な眼差しは必要であり、研究者として私たちができることもそれだろう。

　改元のこともあって、このところ一九九〇年前後のことを考えることが多い。昭和天皇の死去が一九八九年であり、「平成」の時代が始まった。戦時の主権者であり戦争遂行の総責任者であった昭和天皇が去り、一九九五年には「戦後五〇年」を迎え、日本社会のマジョリティは「もはや戦後ではない」「未来志向」と語りはじめた。すなわち、もう「昭和」は終わった、そして「半世紀」は節目だ、もう戦争責任のことは言われたくない、というわけだ。

　その同じ一九八九年に米ソ首脳による冷戦終結宣言がなされた。日本が「平成」というまどろみに落ち込み、歴史に目を閉ざし、自閉したナショナリズムを煽り立てているあいだに、世界は東西イデオロギー対立による膠着の時代の末期から、つまり一九八〇年代末から一九九〇年代にかけて大きく動きだしていたように思う。冷戦という「大きな物語」が終焉し、その重石が外れたことで抑圧されてきた無数の「小さな物語」が表面化したからだ。

韓国では、一九八七年に軍事的独裁体制が終わり民主的選挙によって大統領が選ばれ、その次の一九九二年の選挙以降は文民出身の大統領となった。それまで冷戦期のアメリカ合衆国側陣営のもとで許容された軍事政権が同陣営の日本政府との合作で封じ込めた元「慰安婦」や元徴用工の訴えが一九九〇年代以降に噴出してきたのには必然的理由があるのだが、日本政府は頑なに歴史に目を閉ざし続けている。（ちなみに台湾の戒厳令の解除も一九八七年、総統の民主的選挙は一九九六年で同時期だ。政権交代も繰り返されている。一九九〇年前後から民主主義がダイナミックに動きだした韓国と台湾に対し、顕著に保守化していった日本は対照的だ。）

沖縄では一九九五年の米兵による少女暴行事件がきっかけとなって、「島ぐるみ」の反基地運動が展開されてきた（「島ぐるみ闘争」という言葉そのものは一九五六年に米軍統治下での軍用地をめぐって起きた運動に由来する）。沖縄の側の米軍基地に対する批判、そして何よりその米軍基地を日米安保条約のもとで受け入れかつそれを沖縄に押し付けている日本政府に対する反発が大きく結集したが、国政のほうではポスト冷戦で、反戦・反基地を訴えるはずの左派勢力が完全に退潮。沖縄の声を受け止める基盤がなく、冒頭で触れたように沖縄の反基地の民意がどれだけ集会や投票や署名で示されようと、数の力と権力で黙殺され押し切られるということが繰り返された。暴行事件・県民集会から四半世紀にもなるが、米軍基地問題について日本政府は何の進展も示すことができていない。

ところで、地域は海外に飛ぶが、パレスチナでは一九八七年にイスラエルによる軍事占領地であるヨルダン川西岸地区とガザ地区の内部から民衆蜂起による抵抗運動「インティファーダ」が発生した。占領地内での抵抗運動の組織化に手を焼いたイスラエル側は、折しも一九九一年の湾岸戦争でのイラク支持をきっかけに孤立していた海外拠点のＰＬＯ（パレスチナ解放機構）を「パレスチナ暫定自治政府」としてパレスチナ占領地に呼び戻し手なずけたが、イスラエルは軍事占領を終わらせるつもりなど微塵もなかった。この一九九三年のオスロ和平合意でイスラエルともアラブ諸国とも気兼ねなく貿易ができると諸手を挙げて歓迎した日本政府は、占領のコストを「経済援助」の名目で肩代わりしてきたが、合意から四半世紀、パレスチナに平和や自治が訪れるどころか、軍事占領は後戻りできない泥沼状態に陥っている。

こうした現在のさまざまな問題は、一九九〇年前後の世界大での政治的・社会的変動で生じた枠組みによって発生し、そしてその枠組みになお規定されているように思われる。日本社会の停滞は、左派・進歩派の衰退によって全体として政治的に保守反動化しただけにとどまらず、多くの日本人が（老若を問わず、そしてリベラルであるはずの知識人までが）日本の周縁のあるいは日本の外部の変化に目を閉ざし、時代遅れとなった無根拠な優越意識だけを残存させたまま内向化してしまっているためではないだろうか。

4　三点観測

したがって、私たちの当面の課題は、日本の周縁に、あるいは日本の外部に響く「残余の声」を聴くことである。その際私たちは、「沖縄－韓国－パレスチナ」の三地点から、現代史のある局面をそれぞれの切り口から描くだろう。単なる状況分析ではなく、歴史的視座を持ち植民地主義／ポスト植民地主義の流れのなかでの情勢の変化やその歴史的意味を探る。三地点であるのは、ひとまずは三点観測（三角測量）を意識してのことであり、それは二点ではなく三点の比較考察にすることでより正確な位置関係が測量できるからである。執筆者は、沖縄在住で在日朝鮮人の文学者である呉世宗さん、韓国のソウル在住で在日朝鮮人の歴史社会学者の趙慶喜さん、そしてエルサレム在住経験がある日本人でパレスチナ／イスラエル研究者の私、早尾貴紀の三人である。

またこの連載の副題は、「沖縄・韓国・パレスチナ」としてあるが、もちろん日本、朝鮮（分断前の朝鮮半島および分断後の朝鮮民主主義人民共和国）、イスラエルの声も響いてくるだろうし、その他の地域とのあいだの交流や干渉も響いてくるだろう。この三点観測を基礎としつつ、多角的な分析を意識することで、何より日本社会こそが逆照射されることになるだろう。

この連載は、呉さん、趙さん、早尾の三人によってリレー方式で月一回程度のペースで一年間進められる。以下の四つの共通テーマのもとでそれぞれが一回ずつ執筆するので、合計一二回の連載をしていくこととなる。

一巡目のテーマ「島（辺境）／主体と他者」
二巡目のテーマ「現代的暴力の所在」
三巡目のテーマ「歴史認識と過去の清算」
四巡目のテーマ「主権の残余から」

この連載を進めながら、あるいは四巡一二回が終わったときに、どれだけの「残余の声」を聴き届けることができ、そしてどのような三点観測が得られるのか、それは執筆者三人にとってももちろん定かではない。ただ、このようなあまり前例のない共同作業としての三点測量が、少しでも新しい視角をもたらすことができればと願っている。

（二〇一九年五月三〇日）

【参考文献】

新崎盛暉『日本にとって沖縄とは何か』岩波新書、二〇一六年
伊藤智永『「平成の天皇」論』講談社現代新書、二〇一九年
呉世宗『沖縄と朝鮮のはざまで――朝鮮人の〈可視化／不可視化〉をめぐる歴史と語り』明石書店、二〇一九年
金子文子『何が私をこうさせたか――獄中手記』岩波文庫、二〇一七年
在日の慰安婦裁判を支える会編『オレの心は負けてない――在日朝鮮人「慰安婦」宋神道のたたかい』樹花舎、二〇〇七年
品田悦一『万葉集の発明――国民国家と文化装置としての古典』新曜社、二〇〇一年
趙慶喜「ポスト冷戦期における在日朝鮮人の移動と境界の政治」松田素二・鄭根埴編『コリアン・ディアスポラと東アジア社会』京都大学学術出版会、二〇一三年
文京洙『新・韓国現代史』岩波新書、二〇一五年
サラ・ロイ『ホロコーストからガザへ――パレスチナの政治経済学』岡真理・小田切拓・早尾貴紀編訳、青土社、二〇〇九年

第Ⅰ部　島（辺境）／主体と他者

Ⅰ－1　「オール沖縄」という主体とその危機

呉世宗

1　「オール沖縄」という主体

沖縄県内各市町村長選、統一地方選、沖縄県知事選など、二〇一八年の沖縄は「選挙イヤー」と呼ばれるにふさわしい一年であった。一月二一日の南城市市長選から始まり、一〇月二八日の渡嘉敷村長選まで、常にどこかであるいは沖縄全体で選挙が行なわれていた。九月などは翁長前沖縄県知事の急逝のため県知事選が繰り上げられたこともあって、ほぼ毎週末のように投開票のある、慌ただしい選挙月間であった。

沖縄の選挙の場合、それぞれの候補が公約を掲げ、市民と対話をし、対立候補と公開で議論を交わす、といったよく見られる光景がある一方で、ここ最近は「オール沖縄」と「保守」という対立が前景化しながら選挙が執り行なわれている。南城市長選では「オール沖縄」陣営の瑞慶覧長敏が当選し、反対に新基地建設が強行されている辺野古を内に含む名護市では、自民党に推薦された「保守」陣営の渡具知武豊が当選している。あるいは宜野湾市長選では「保守」側が勝ち、那覇市長選では「オール沖縄」が勝つ、というように結果が出るたびに「オール沖縄」と「保守」の勢力図が目まぐるしく書き換えられた。もちろんどちらの陣営も一枚岩ではない。「オール沖縄」内での意見の対立や支援者の脱退もあるし、米軍基地という歴史的現在的問題があるために「保守」も「本土」の保守政党と完全に重なることはない。しかしそれぞれの内に亀裂をはらみつつも、「オール沖縄」対「保守」という図式は、現在のところまだ強い影響を及ぼしている。今回のエッセーで私は、両陣営のうち、主に「オール沖縄」が体現する沖縄という主体について、わずかばかりの検討をしてみたいと考えている。

「オール沖縄」と「保守」という対立は、基本的に基地問題をめぐってその軸が形作られる。もちろん両者とも基地を問題にはする。しかし保守陣営は、問題を普天間飛行場の危険性除去に絞り、辺野古新基地建設を争点から外すことを選挙戦略としてきた。それに対しオール沖縄陣営は、普天間飛行場の運用停止を求め、同時に辺野古新基地建設も反対することで、基地問題をより全面的に選挙の争点にしてきた。要するに実質的に基地の沖縄県内「移設」を容認する保守陣営と、新基地建設に関しては断固拒否するオール沖縄陣営という対立があるのである。

さて、そのように基地問題を大きく争点化する「オール沖縄」であるが、その誕生は、直近で、一九九五年に起きた「沖縄米兵少女暴行事件」からである。この事件があまりに痛ましく残忍であったため、沖縄全体が米軍と基地に向かって大きな抗議行動を起こしたことは記憶に新しい。またこの事件は、あまりの凄惨さゆえに島の人々にとってトラウマ記憶のようになっており、米軍が問題を起こすたびにその記憶は蘇ることになる。そのように痛ましい事件をもたらしてしまう基地に対し、保革を超えて連合し、抵抗、解決しようとするところから「オール沖縄」は生まれた。

とはいえ当初は「オール沖縄」という名ではなかった。九五年の事件は、大田県知事（当時）による代理署名の拒否、施政権返還後最大の沖縄県民総決起大会の開催などを引き起こすが、この沖縄全体での抗議行動は「島ぐるみ」として認識されていた。

「島ぐるみ」という言葉には、言うまでもなく一九五〇年代の土地闘争の記憶が結びついている。「オール沖縄」という名称が使われるようになったのは、鳩山政権が米軍基地の「国外・県外移設」を主張した二〇一〇年頃からのようであるが（櫻澤誠『沖縄現代史――米国統治、本土復帰から「オール沖縄」まで』中公新書、二〇一五年、三〇四頁）、名前が変わったとしても当然そこにも五〇年代の記憶は流れ込んでいる。つまりオール沖縄は九五年を契機としつつも、それよりも四〇年以上前からすでに始まっていたといえ、オール沖縄を結集させる根拠に現在的で歴史的な基地問題があることは間違いない。知事選の際、普天間飛行場の運用停止を求め、辺野古新基地建設阻止を貫徹すると述べた玉城デニーが、選挙の出発式を伊江島から始めたことは、まさにオール沖縄を象徴するものであった。というのもその島は沖縄戦のときの激戦地であり、また戦後の米軍による土地接収に抗った、阿波根昌鴻らの乞食行進に象徴される「島ぐるみ闘争」の源流でもあったからだ。この点からもオール沖縄陣営は、沖縄の歴史を背負っていると言ってよい。

他方、沖縄の人々の基地問題に対する関心も高い。琉球新報、沖縄テレビ放送、JX通信社との合同の世論調査の結果、二〇一八年の知事選において重視する政策に基地問題を挙げた人が四一・六%にものぼったことに見られるように（二〇一八年九月一七日付『琉球新報』）、昨年の知事選に至るまで基地問題は人々の関心の中心であった。そして投票率六三・二四%、八万票差以上の三九万六六三二票を獲得した玉城デニーが新知事に当選したことは、沖縄の「民意」が反普天間飛行場、反辺野古新基地建設であることを示すものであった。

これに二〇一九年二月に実施された、辺野古新基地建設の是非を問う県民投票の結果を加えてもよいだろう。紆余曲折を経て沖縄県内の全市町村で実施された県民投票の結果は、投票箱が閉じられる三〇分前に投票率五〇%を超え（最終的には五二・四八%）、辺野古新基地建設に反対が七二%、賛成が一九%、どちらでもないが九%であった。反対票は有権者の四分の一を超え、玉城知事が当選したときの得票数を上回った（四三万四二七三票）。県民投票の結果に法的拘束力はないものの、これもまた玉城新知事を支える「民意」の表れであった。

二〇一八年九月の知事選および二〇一九年二月の県民投票それぞれの結果が明らかになった

直後には、政党や会派、新聞社説による次のようなコメントが紙上に溢れた。知事選の結果に関しては、「県民とオール沖縄の力が増した」（共産）、「県民は基地問題を重要視していたのでは」（維新）、「県民の良識によって勝利した」（沖縄の風）、「県民は辺野古反対の審判を下した」（社大党）、「イデオロギーを超えて結束した県民の勝利だ」（自由党県連）など。また新聞社説も「政府は、前回、今回と二度の知事選で明確に示された民意を率直に受け止め、辺野古で進めている建設工事を直ちに中止すべきだ」と論じた（二〇一八年一〇月一日付『琉球新報』社説）。県民投票の結果に関しては、「県民の良識を誇りに思う」（社民党県連）、「圧倒的反対、県民を尊敬」（会派おきなわ）、「安倍政権への県民の良識と怒りの勝利」（共産党県委）、「反対の民意は示された」（日本維新の会県総支部）などのコメントが出された。また「辺野古」県民投票の会の代表は、「明確な反対の民意が示された今、問われるのは本土の人たち一人ひとりが当事者意識を持ち、国の安全保障と普天間飛行場の県外・国外移転について国民的議論を行なうことだ」と述べた。いずれも辺野古大浦湾の埋め立て、新基地建設を強引に進める日本政府への抗議・抵抗としての「民意」の表れであった。

知事当選後の玉城デニーが、「新しい米軍基地は造らせない。辺野古新基地建設は絶対に認めない」「これ以上沖縄に造らず、日本の皆さんがどこに持って行くか考えてください、という立場だ。多くが「米軍はこれ以上必要ない」と言うなら、米軍の財産は米国に引き取っていただく」という発言も、この「民意」に後押しされたものであった。つまり「オール沖縄」とは、この「民意」に具体的な名を与えるものであった。そして両者は、各選挙・県民投票を経るたびに、循環しながら沖縄の主体を立ち上げ、強固なものにしていった。したがって「オール沖縄」とは、少なくとも二〇一四年以来現れ続けている「民意」を核とする沖縄という主体の姿である。そしてその「民意」を「オール沖縄」に向かわせているのは、堆積し続ける基地問題であり、継承される沖縄の歴史的記憶である。

2 「イデオロギーよりもアイデンティティー」

このオール沖縄に体現される主体について考えるには、やはり前知事・翁長雄志の発言を少しばかり検討する必要があるだろう。

翁長はオール沖縄に支えられて知事に当選し、また当選後二度にわたる埋め立て承認撤回を断行したことに見られるように、その行動や言葉が逆にオール沖縄を支えるという関係があった。自民党出身の保守政治家であったが、辺野古新基地建設問題をめぐって仲井眞元知事と決別し、二〇一四年に沖縄県知事に当選した後は、秀でた歴史的感覚に基づく発言でオール沖縄を牽引していったのはよく知られている。たびたび「粛々と基地建設を進める」とする日本政府に対して、「問答無用という姿勢が感じられ、〔一九六三年に「沖縄の自治は神話である」と言い放った〕キャラウェイ高等弁務官の姿が思い出される」と菅義偉官房長官（当時）に直接抗議したのは、沖縄の戦後史を生きてきた翁長知事ならではであった（琉球新報社編『魂の政治家　翁長雄志発言録』高文研、二〇一八年、六二－三頁）。

その翁長の言葉で、今もオール沖縄を支え続けている、なかばスローガンと化した発言は「イデオロギーよりもアイデンティティー」であろう。『魂の政治家　翁長雄志発言録』で確認する限り、その発言は、二〇一四年の知事選出馬のときに言われたものである。もちろんそれ以前から翁長は、政党や会派が自分たちの目標を六～八割に抑え一丸となった運動をしないと状況は変わらないと考えてきた。「イデオロギーよりもアイデンティティー」という言葉はその思いを端的に表したものでもあった。

知事選出馬表明自体は短いものである。まず、沖縄の経済的可能性は世界的に高く評価されているが、那覇新都心や北谷（ちゃたん）町美浜地区の経済発展に見られるように、「今や米軍基地は沖縄経済発展の阻害要因」となっていることをが指摘される。続いて、豊かな自然環境は将来の世代にも「宝物」であり破壊されてはならないと述べる。その後に「イデオロギーよりもアイデンティティーに基づくオール沖縄として、子や孫に禍根を残すことのない責任ある行動が今、強く求められている」と翁長は訴える（『魂の政治家』、四四頁）。つまり経済発展と豊かな自然が、翁長の言う「アイデンティティー」の内実を構成しており、そのいずれもが平和と結びつけられている。そしてこの「アイデンティティー」は、そのままオール沖縄のそれでもある。逆から言うと新基地建設は、経済発展と自然保護を阻害し、したがってオール沖縄自体の確立を困難にしてしまうからこそ断固反対されるのである。

「アイデンティティー」の構成要素はそれだけではない。一九五〇年に旧真和志村で生まれ、まだ戦争の爪痕が生々しく残るなかで育ち、そして米軍の抑圧的な統治を目撃し続けてきた翁長だからこそ、そのときそのときの発言に直接体験した沖縄戦後史が滲むようにして現れた。先ほど述べた、菅官房長官に向けられた「キャラウェイ発言」のようにである。要するに平和の志向と結びついた「アイデンティティー」には、沖縄戦や沖縄戦後史の記憶が深く浸透しているのであり、それもまたその構成要素の一つとなっているのである。経済発展、自然保護、それに加えて歴史記憶は、政治的信条などの立場を越えて共有できる価値となっているからこそ、オール沖縄の「アイデンティティー」となったのである。

この点、翁長が急逝した直後に書かれた、川満信一の論評は興味深い（二〇一八年八月一六日付『沖縄タイムス』）。川満は、翁長が知事任期中に功利的政治家から理念的政治家へと「成長」したと論じる。理念的政治家とは、米国と従属的な日本政府によって維持され続ける基地と、さらなる新基地建設とが「アジアの悲劇」を将来的に引き起こすだろうという「予見」から、再度捨て石とされる危機を避けるためにも、辺野古「移設」を断固拒否しようとする者のことである。沖縄にとっての真なる豊かさを実現するために、外部勢力から提示される目先の利益を拒否し、沖縄にとっての真なる豊かさの実現の根本的な阻害要因である基地に反対していく者ということでもあろう。翁長は、那覇市議であった一九八五年には、日の丸・君が代励行決議案を提出して強行採決させ、また沖縄県議であった九六年には、米軍基地の整理縮小などの是非を問う県民投票案に対して反対を表明している。さらに九九年には、普天間飛行場の辺野古「移設」を県議会に提案さえした。そういったことを思い起こすとき、功利的政治家から理念的政治家への成長という川満の評価も一理あろう。加えて川満は、翁長のそのような成長を促したものに、沖縄戦や米軍統治期についての深い歴史認識のもとに摑み取られた「アイデンティティー」がある、という見方を示しているが、その点も本稿の議論と重なる。

とはいえ「イデオロギーよりもアイデンティティー」については、もう少し立ち止まって翁長の発言を読み、検討する必要があるように思われる。次の発言は保守政治家の顔をのぞかせ、かつ危うさを漂わせるものとなっている。

> 沖縄の基地問題なくして、日本を取り戻すことはできない。日本の安全保障は日本国民全体で負担する気構えがなければ、沖縄一県にほとんど負担させておいて、日本の国を守ると言っても、仮想敵国から日本の覚悟のほどが見透かされ、抑止力からいってもどうだろうかなと思っている。(『魂の政治家』七九頁)

二〇一五年五月一七日の「戦後七〇年　止めよう辺野古新基地建設！ 沖縄県民大会」での発言である。この発言自体は、安倍首相の言う「日本を取り戻す」を換骨奪胎したものである。

翁長にしてみれば、取り戻されるべき日本とは、安全保障を「日本国民全体」で担う、そのような「気構え」のある国家のことである。それゆえ、安全保障を過重に担わされている沖縄の「基地問題」の解決なくして「日本を取り戻すことはできない」。ここには、沖縄を再び捨て石にしてしまう危機を回避しようとする意図だけでなく、基地問題の「原点」は五〇年代に米軍に土地を強制接収されたことにあるとしばしば述べていたことからすれば、我らの土地を取り戻すという意味もあったかもしれない。いずれにせよ沖縄の歴史を踏まえた換骨奪胎発言ではあった。

しかし問題は「仮想敵国」という発言である。想定された「敵」の一つは、間違いなく朝鮮民主主義人民共和国である。もちろんここには、ステレオタイプ化された北朝鮮像の内面化がある。それだけではなく、翁長が読んだかわからないものの、この発言は、村上龍『半島を出よ』など北朝鮮を扱う近年の文学作品と響き合うものがある。『半島を出よ』は、経済的に落ちぶれた日本、福岡を北朝鮮の兵士が占拠するという荒唐無稽な物語であるが、とはいえ北が攻めてくるという設定を通じて「平和」とは何かを考えさせ、「国民」に対し「安全」のための「気構え」をもたせようとする意図がそこには込められており、その点において翁長の発言と響き合っている。「品格のある日本」(『魂の政治家』一一〇頁)や「日本国民が等しくそういう〔戦場になるかもしれないという〕立場に立つのであれば、同じ日本国民としてそれを受け止めることは私としてはあるが」(『魂の政治家』一一六頁)などとも翁長が発言していたことからすれば、なおさらである。

これに加え、翁長が日米安保容認の立場であり、普天間飛行場の辺野古「移設」を自分自身で提案していたことも踏まえると、彼の言う「平和」は沖縄を含んだ日本という枠だけで考えられていると見なすこともできる。つまり「アイデンティティー」の核となる「平和」には、国防としての「気構え」といった、限定的で、場合によっては外部と敵対的な意味が流れ込んでいる可能性があるのである。したがって、「オール沖縄」が一丸となって基地問題の解決に向かっていった先に、安全保障を「日本国民全体」で負担するという「気構え」との合流があるならば、基地が「アジアの悲劇」をもたらすという予見によって理念的政治家へと転身した、とする川満の見方には留保をつけざるを得ない。

結局のところステレオタイプ的な「仮想敵国」発言の何が問題かというと、神格化されることもある翁長前知事において、アジアへの視点が欠けているということである。もちろんアジアと沖縄を絡めた発言はこれまでたびたびなされてきた。しかしそれは主に経済交流の文脈においてである。彼の発言の根幹をなす沖縄についての歴史記憶から欠けているのは、沖縄に連行されてきた朝鮮人や台湾人がいたことや、「悪魔の島」と呼ばれるのを拒むため、六五年以降復帰協が定期総会のたびにベトナム戦争反対を決議しつづけたといった事実である。「仮想敵国」などという安易な表現が用いられるのは、それらが欠けていることの証左ではなかろうか。これに関連したことを付け加えるならば、一九九九年、監修委員会の承諾なしに平和祈念資料館の展示内容から朝鮮人、台湾人の虐殺に関するものが削除され、日本軍の残虐性を薄めるように変更されるという事件が起きている。この事件が起きたとき、沖縄県議会与党自民党の中心にいたのが翁長であった（ちなみに二〇一八年、北朝鮮とアメリカのあいだで緊張緩和の萌芽が現れてからは、翁長の発言にも政治的な観点から東アジアへの言及が現れていた。また二〇一六年の県民大会で海兵隊の「撤退」という発言をしたことは重要である）。

翁長知事を支え、また彼に支えられたオール沖縄が一丸となって基地反対を打ち出すとするなら、そしてアジアのなかで真なる沖縄の平和と豊かさを実現しようとするならば、「敵」をまなざすのとは異なるアジアへの視点が求められる。そのような視点が欠落すると、基地問題は国を守る「気構え」といったナショナリスティックな議論に流れ、基地を容認することにさえなろう。またアジアの欠落は、沖縄の歴史の語りから皮肉にも歴史の忘却をもたらしもしよう。

だがより問題なのは、このアジアへの視点の欠落が、少なくとも二〇一四年からの選挙で示され続けてきた「民意」に基づく沖縄という主体に危機をもたらしていることである。

アジアへの視点の欠如は、翁長元知事だけにとどまっていない。

玉城デニーは、知事選においても就任後においても「イデオロギーよりアイデンティティー」という言葉を用いており、翁長前知事の遺志を引き継ぐ姿勢を明確にしている。また日米安保体制を容認するのも同じである。先日、玉城知事は、普天間飛行場の運用停止を求める書簡を駐日米大使館などに送付したが、そこで「中国、北朝鮮問題」は米海軍・空軍で対応可能だからという理由づけがされていた（二〇一九年五月二八日付『沖縄タイムス』）。この書簡の内容もまた「仮想敵国」の変奏であり、それゆえ玉城デニー知事にもアジアへの視点の欠落が引き継がれているように見える。

さらにこの欠落は政治家を超えて広がっており、「オール沖縄」として立ち上げられてきた沖縄という主体に危機をもたらしている。そのことが明白に現れたのは、天皇の退位／即位をめぐってである。たとえば二〇一九年四月二九日付『琉球新報』の一面には、「陛下、沖縄思っていた」という大きな見出しのもと、ある沖縄の民謡歌手が平成の天皇から「沖縄には大変ご苦労掛けてます」と言葉をかけられたという記事を載せている。その歌手は、天皇が一一回も沖縄に来たことから、「こんなに沖縄のことを思っている人はいないのではないか」とさえ述べている。

また『琉球新報』は、翌日四月三〇日、「新しい「令和」の世は、沖縄の主体性と創意に彩られた豊かで平和な時代を紡ぎたい」と元号と沖縄という主体を結びつける、編集局長松元剛の特別評論を一面に掲載した。付け加えるならば同評論で松元は、沖縄における平成を振り返るなかで、九五年に建立された「平和の礎」が「不戦を誓うシンボルとなった」と述べているが、平和の礎除幕式の際、招かれた韓国側代表が、加害者と一緒に刻銘されるのを拒む韓国人遺族もいたと発言したことは忘れられている。「平和の礎」をめぐってはまだ議論があるのである。

さらに五月一日、つまり即位の日、『沖縄タイムス』と『琉球新報』の社説は、「多くの国民が令和の時代の到来を歓迎したのは、平和で明るい未来であってほしいという切実な願望からだ」や「元号を生活に根ざした文化と捉えれば、新元号のスタートは〔…〕人々の希望につなげる力にもなる」と、そろって新元号を歓迎し、新しい時代が始まるとする内容であった。

沖縄の二紙は、もちろん他の記事で天皇の戦争責任や一九四七年の天皇メッセージについて触れてはいる。しかし平成天皇の「平和」の「祈り」を高く評価し、また新元号を歓迎する姿は、見方によっては「祈り」が継続されることと引き換えに沖縄から天皇へ和解を提案しているようでさえある。そこには現政権の横暴を、天皇を沖縄側に立たせることで中和しようとする意図があるのかもしれない。しかしこれは危険であろう。天皇個人がいくら親しみやすいイメージを振りまいたとしても、問題は天皇制なのであって、その制度こそが悲惨な沖縄戦を、戦後の植民地主義的な米軍統治を、そして現在の基地問題をもたらしているからである。その制度が存続する限り、目取真俊が言うように「天皇メッセージ」は今も生き続ける（目取真俊の五月二七日付のブログを参照）。したがってつまるところ、新元号を歓迎し天皇が一一回も沖縄に来てくれたことなどを好意的に報じることは、天皇制を認め、結局のところ翁長の言う「アイデンティティー」の根幹となる沖縄の歴史、とりわけ沖縄戦を美化して継承させる危うさももたらすだろう。

何よりも問題なのは、そしてそのように好意的に新天皇、新元号を迎え入れることにおいて、またしてもアジアが欠落することである。沖縄戦で亡くなった者のなかには多くの朝鮮人、台湾人などがいたが、ということは、彼、彼女たちを抜きにして新元号や即位の祝福などできるわけがなく、そもそも祝福すること自体が問題なのである。

いずれにせよ翁長の発言を丁寧に読み、また天皇の退位／即位をめぐる言説などをたどると、「オール沖縄」に体現される沖縄という主体は、「平和」を希求しつつも、天皇の戦争責任や戦後の天皇メッセージの問題を等閑視することで、東アジアの「平和」への展望を欠いた危うさのなかで立ち上げられていると言わざるを得ない。そしてこのことは、平和を望み「オール沖縄」を支えてきた沖縄の「民意」を危機にさらすことであろう。もちろんその「民意」においても、そこにアジアへの観点があるかという問題は残っている。

二〇一九年、二年ぶりに平和の礎に二人の朝鮮人の名が刻銘されることとなった。その一人の金萬斗(キムマントゥ)は、徴用されていた輸送船「彦山丸」の上で米軍機の攻撃を受け亡くなっている。その後彼は本部町健堅に埋葬されたが、それは米雑誌に掲載された写真によって明らかになったことであった（二〇一九年五月二九日付『琉球新報』）。アジアが欠落することで生じる主体の危機を克服するために見いだすべきは、そのような沖縄と結びついたアジアの人々であろう。

もちろん東アジアという広い観点から平和を構築しようとする出来事は、すでに沖縄に現れている。それは国境を越えた沖縄戦の捉え返しであったり、反戦運動であったり、芸術であったりである。次回以降の私の回で取り上げていきたい。

（二〇一九年六月二六日）

【参考文献】

沖縄タイムス社『沖縄タイムス』
呉世宗『沖縄と朝鮮のはざまで――朝鮮人の〈可視化／不可視化〉をめぐる歴史と語り』明石書店、二〇一九年
川満信一「沖縄の行方　翁長知事急逝　三」、二〇一八年八月一六日付『沖縄タイムス』
櫻澤誠『沖縄現代史――米国統治、本土復帰から「オール沖縄」まで』中公新書、二〇一五年
目取真俊ブログ「海鳴りの島から」
https://blog.goo.ne.jp/awamori777/e/2d8d560eb961693bdaf5047d0fe0bb94（二〇一九年六月一八日最終閲覧）
琉球新報社『琉球新報』
琉球新報社編『魂の政治家　翁長雄志発言録』高文研、二〇一八年

I―2　難民の島、平和の島――済州島

趙慶喜

1　済州島に向かった難民

二〇一八年六月、済州島に突如現れたイエメンからの難民をめぐり韓国社会は大きく動揺した。イエメン難民は二〇一六年頃から少しずつ増えはじめ、二〇一八年には約五五〇名が済州島に上陸した。済州島は二〇〇二年から、外国からの観光客に対するビザ免除制度を（テロ支援国など一一カ国を除いて）施行している。内戦が続くイエメンからの避難民は当初同じくビザ免除制度を採っているマレーシアに向かったが、マレーシアが受け入れを拒否したため済州島へと行き先を変えた。ちょうど二〇一七年末にマレーシアから済州島への直行航空便が新設されたことが大きな変数となった。

この事態に戸惑った法務部は、二〇一八年四月三〇日、難民が済州島を出島しないよう制限措置を取ったほか、六月にはイエメンをビザ免除対象国から除くに至った。出島制限はその後解除されたが、こうした措置が韓国社会に混乱を招く引き金となった。済州島には難民を担当する公務員も難民支援団体もほとんどいなかったと言われる。二〇一五年に二〇〇名ほどのシリア難民が入国した際にはさほどイシューとならなかったことからも、イエメン難民を済州島に閉じ込めたことで集団として過剰に可視化され、必要以上の葛藤が引き起こされたことは否定できない。

法務部が難民申請者たちの生活苦を考慮し、早期就業を許可する方向性を明らかにしたところ、「済州島不法難民申請問題にともなう難民法、無ビザ入国、難民申請許可の廃止」を求める国民請願が青瓦台ホームページにあげられ、およそ一〇日間で三〇万人以上、合計七〇万名以上の署名を集めたのは記憶に新しい。その請願に同意する意見には、「自国民の治安と安全を優先せよ」という声とともに、偽装難民・イスラーム極右・テロリストといった露骨なヘイト・スピーチやフェイクニュースの類も多く含まれた。

もちろん他方では、難民の受け入れは韓国社会の成熟度を測る試金石であるとして、済州島民をはじめとする多くの支援者たちが生まれた。たとえば、『ハンギョレ新聞』が取材した済州島に住むある音楽家の女性は、済州市内の入管近くにある自分の練習室を難民に開放し、パンや牛乳などの食料品と生活用品の支援を続けた。聞きつけた人々が韓国語教室を開いたり、仕事の斡旋をするなど支援の輪は広がった。イエメン人と身近に接するなかで、ハラール料理の食堂を開くことになった彼女は、シェフとして雇用したイエメン難民と昨年末結婚した。[*1] 済州島民にとって難民との共存は日常として今もある。

済州島におけるイエメン難民の急増は、何よりもＬＣＣ航空会社によるマレーシアからの直行便格安キャンペーンがもたらした偶然の出来事ではあったが、そのほかにもＳＮＳなどを通じて「済州島は難民にとって暮らしやすい場所」であるといった認識が拡散したことも指摘されている。韓国はアジアで唯一の「難民法」を制定した国であり（二〇一二年制定、二〇一三年施行）、このことが彼らに大きな期待を抱かせたことは容易に想像できる。ただ、難民法の制定により難民審査の透明性確保など最低限のルールは守られはじめたが、その実績は期待とはほど遠い。難民条約加入後の一九九四年から二〇一八年までの難民申請数は四万八九〇六件、認定数は九三六件である。[*2] 難民法施行後は世界的な趨勢から申請者は年々増えていったが、平均認定率は三・二五％程度である。

さらに難民法施行後初めての世論の大きなプレッシャーのなかで、イエメン難民の審査は厳格に進められた。最終的に四八四名が難民申請を行ない、審査の結果、フーシ派反乱軍を批判する記事を書いたジャーナリスト二名のみが難民として認定され、四一二名が人道的滞留許可を受けた。滞留許可を受けた人々は、現在各地で漁業や製造業などに従事しながら生計を立てている。

2　平和ムードのなかのゼノフォビア

ところで、二〇一八年六月という時期に難民ヘイトが前景化したという事実は看過しがたいものがある。平昌オリンピックと歴史的な南北会談・米朝会談を経て、まさに朝鮮半島の平和ムードが最高潮に高まっていた最中の出来事だったからである。急速に広まった難民反対の世論とあからさまな嫌悪の表出に目を疑うしかなかった。光化門広場には「難民歓迎」とともに「偽装難民反対」のピーケットが同時に舞っていたが、後者がより多く目立っていた。各種のオンラインコミュニティ・掲示板・SNSには、「大韓民国はいつから経済大国になったのか」「国民も食べていくのがやっとなのに難民を受け入れる余裕などない」といった「庶民」たちの実感のこもった意見が飛び交った。朝鮮半島の平和と難民の追放という世論はなぜ同時に噴出したのか。これらはどのような相関関係にあるのか。このことを考えずに朝鮮半島の平和と統一を語ることができるのだろうか。

もちろん、難民反対の世論は明らかに極右勢力のネガティブ・キャンペーンの成果であった。先頭に立つ保守野党の自由韓国党（二〇二〇年に「国民の力」に改名）は、イエメン難民のほとんどが経済的理由による偽装難民であるとし、難民法があるがゆえに韓国が利用されていると訴えた。難民問題に対する現政権の曖昧な態度を偽善であると強く非難し、文在寅の大統領選挙時のスローガン「人が先だ」の論理を「国民が先だ」に置き換え、若い世代の漠然とした不安感や被害意識を掻き立てた。若い世代の支持の低さをこのような恐怖政治を通して挽回し、南北関係の改善に歴史的な成果をもたらした現政権を牽制しようとしたわけである。

また、原理主義的なキリスト教勢力によるフェイクニュースもかってないほどに急速に広まった。「スウェーデンで発生した性暴力の九二%がムスリム難民によるものであり、その被害者の半分が児童である」といったもっともらしいデマが「海外発の衝撃的な事実」として拡散していった。[*3] フェイクニュースの発信源や流通ルートについては、その後いくつかのメディアが集中的に掘り下げ、極右キリスト教ネットワークの実体がある程度明らかになっている。その中心団体として名指された団体「エステル祈禱運動」が特集記事を出した『ハンギョレ新聞』社長と編集長を告訴するなど、フェイクニュースをめぐって攻防が展開された。さらに、政府がフェイクニュース規制を強めるための情報通信法の改正を宣言するなど、イエメン難民問題は「表現の自由」の根幹に関わる争点を引き起こすきっかけともなった。

今回の問題を一般的な難民問題ではなく、イスラーム問題とする見方もある。イスラームの宗教や文化風習が韓国とは相容れないものであり、また家父長的で女性抑圧的であるということが強調された。とりわけ済州島に上陸したイエメン人の九一%が男性であったことは、韓国の女性たちに相応な不安感を引き起こした。イスラーム圏での女性の人権水準が低いことに対する憂慮と怒りも加わり、イスラーム文化との共存不可能性を正当化するうえで、女性の恐怖・安全・保護といったレトリックが多用された。「安全」の名のもとで一部の女性たちがイスラーム嫌悪に加担してしまったことは、韓国社会でのフェミニズムの高まりを考えたとき、決して見過ごせない問題を含んでいる。

この一年のあいだ露骨なヘイトへの批判が高まるなかで、韓国の市民社会も一定の学習と自省の過程を経たものと思われる。これほどまでに肌の色と文化の異なる他者との共存（不）可能性を深刻に討議したことはなかったはずである。ただ、問題は偽情報の発信や個々人のリテラシーの欠如だけにあるわけではない。情報の真偽にかかわらず、ムスリム難民に対する漠然とした恐怖感を自ら募らせ、それを正当化するべく「国民ファースト」に傾倒してしまう、ゼノフォビアと国民主義が結びついた心情にある。

今日の韓国社会は二〇一七年の朴槿恵退陣デモをひとつのメルクマールとして、民主的に覚醒した「ろうそく市民（촛불시민）」が生まれたと言われる。現政権もまた、失われた一〇年を取り戻すべく、「積弊清算」という名のもとで政治的・社会的変革を推し進めている。この過程は、国内政治へのきわめて成熟した批判精神と態度を生み出した一方で、移民問題や内なる人種主義への反省をどれだけ伴っていたのだろうか。むしろ同質的で排他的な国民主体を強化する契機をはらんでいたのではないだろうか。難民ヘイトの表出は、これまでの韓国の同化主義的で選別主義的な多文化主義の帰結でもあった。[*4] 流暢な韓国語を話し大韓民国に貢献を惜しまない合法的な「大韓外国人」のみを歓迎してきた結果、韓国社会はイエメン難民の存在を

「信頼に値しないフリーライダー」と見なす多くの人々を生み出してしまった。この不寛容な姿に開き直る前に過去の自画像と向き合う必要があるだろう。

3　済州島と「密航」の歴史

「われわれもかつては難民だった」。国連難民機構（ＵＮＨＣＲ）の親善大使として活動する俳優のチョン・ウソンは「韓国も難民問題の痛みを経験し、国連をはじめ他国の支援を受けたことを記憶しなくてはならない」と言って難民への共感を訴えた。受けた分だけ返さねばならないという互恵主義をことさら強調するまでもなく、難民の歓待はすでに世界共通の課題としてある。にもかかわらず済州島という辺境の島が解放後に経験した難民化の過程を考えると、やはり今日の大韓民国の中心で展開される難民への当惑や拒否反応はあまりにも非歴史的であると言わざるを得ない。

近現代史を振り返ると朝鮮半島は多くの海外移住者を構造的に生み出した地域である。植民地時代の農民の流民化、済州島四・三事件と朝鮮戦争からの避難民、そして朴正煕維新独裁時代も迫害から逃れて海外に亡命を果たした人々がいた。特に済州島から日本への密航は、植民地期から解放後の一九七〇年代までも続いた。これらを「難民」と呼ぶのかどうかは議論の余地があるが、虐殺、戦争、貧困、迫害から逃れようと危険を冒して国境を越えていったという意味では多分に難民性を帯びていた。

解放直後の済州島は、戦争物資の強制供出のせいで深刻な食糧難と住宅難に見舞われていた。植民地時代に日本からの送金と軍需物資輸出などの現金収入によって支えられていたため解放後大きな打撃を受けた。また、日本軍が撤収する一方で国内外に散らばって暮らしていた済州人約六〜八万人が一気に帰還した。こうした人口の量的質的膨張は、解放後政治経済的緊張の一要因として作用した。[*5] 日本との定期旅客船が途絶え、ＳＣＡＰ（連合国最高司令官）の方針によって搬入物資も制限されると、人々と物品の往来のための密航船が再び玄界灘を行き来し始めた。一九四八年の四・三事件に至る不穏な空気のなか、多くの済州道民が警察や右翼組織の西北青年団による弾圧を逃れ日本に密航した。解放直後から朝鮮戦争前後までその数は数万名にのぼる。

さらに国連韓国再建機構（UNKRA, United Nations Korean Reconstruction Agency）は、朝鮮戦争当時に朝鮮半島で生まれた失郷民（シリャンミン）（南北分断で故郷に帰れなくなった人々）の救護活動を約10年間にわたり行なった。ＵＮＫＲＡは現在のＵＮＨＣＲの前身と言われるように、韓国の近現代史は戦争難民の歴史と直接につながっている。一九七〇年代中盤にはベトナム難民が釜山に到着した。日本や中国に比べてごく少数のベトナム難民を受け入れた韓国は、今でもそのことを不甲斐ない過去として記憶している。いずれにせよ、韓国はボートピープルを送り出した過去も、受け入れた過去もある。難民問題は決して二一世紀に突如現れた出来事ではない。

　現在の難民と異なり、済州島から日本への密航——避難・求職・家族再結合という移動の形態は、帝国時代に経験した移動パターンの反復であって、ここにはすでに蓄積された人的・物的ネットワークが存在した。つまり相対的に接近性の高い生活圏がすでにあった。彼らは、ポストコロニアルな分断国家であると同時に、高度成長の恩恵を受けられなかった辺境の島という二重の周辺性が生み出した構造的な難民であった。他方、一万円の格安航空券とともに偶然に済州島に行き着いたイエメン難民にとって、済州島そして大韓民国はどれほど安全な地だっただろうか。五〇〇名あまりの自分たちを脅威と見なす人々に対し彼らはただ沈黙するだけである。

　こうした経緯を考えると、当初イエメン難民が済州島から出られないよう韓国政府が出島制限をしたことは問題の根が深いと思われる。それは難民に対する深刻な人権侵害であると同時に、彼らを済州島に閉じ込めてそれ以外の地域は事なきを得ようとした点で、済州島に対し繰り返してきた構造的差別を前提としている。「イスラームが拡大しないよう、絶対に陸地に足を踏み入れさせないようにしなくてはならない[*6]」といったキリスト教原理主義者たちの言い分をそのまま実践したようなものである。結果的に出島制限により難民の存在はより可視化され、社会的葛藤はより拡大されてしまった。江汀（カンジョン）村での海軍基地建設問題や第二空港建設問題など、済州島は辺境の島としてすでに過剰なコストを支払っている。済州島を平和の島にする努力は、済州島民だけに課されているのではない。

4　日常としての歓待を学ぶ

済州島の三九の市民団体は、昨年六月に「済州難民人権のための汎道民委員会」を構成した。共同代表のキム・ソンインは、「難民嫌悪があったというが、歓待の情緒がそれよりも数十倍もあった。ただその歓待が整頓されていなかった。私たちの整頓されない歓待が介入することで混乱を加重させた」として、歓待にも方法と体系が必要であると語っている。[*7] 歓待を宣教と捉える一部の教会関係者をはじめ、多くの人々が自己満足的に歓待を実践することに対して慎重に異議を唱えている。ここには嫌悪／歓待という空虚な二分法ではなく、地域の日常のなかで難民と出会うことへの実践的な言葉がある。難民に限らず、私たちは他者への歓待を「具体的に」考えることに慣れていない。観念的な温情主義が難民を対象化し手段化してしまう危険性について、済州島での経験は私たちに多くのことを教えてくれる。

イエメン難民問題は、「圧縮成長」を経たポストコロニアルな分断国家としての大韓民国の複合的な自我をまざまざと見せつけた。この一年のあいだ一部で沸き起こったムスリム男性難民へのヘイトに対し、私たちはすでに多くの別の言葉を持ち始めている。九〇％以上の男性たちは特権的な逃避者ではなく、反体制組織による内戦への動員から逃れてきた者たちであること。彼らに反対することが、決してムスリム女性を助けることにつながらないこと。彼らの多くが、内戦が落ち着くまでただ静かに暮らせることだけを望んでいること、など。

今日私たちは難民問題のフレームを嫌悪／歓待の二者択一ではないかたちで拡大していく必要がある。彼らそして私たちに必要なのは収容所でもなければ難民キャンプでもない。閉じ込めておく島でもない。そして常に純粋で善良な難民がいるわけでもない。彼らは地域のなかで共存し、おそらく時には葛藤を引きおこす人々である。そうした当たり前のことこそが歓待の日常性につながるだろう。そうした実践は時間がかかる。まだ始まったばかりである。

（二〇一九年七月三一日）

【注】

＊1 『huffingtonpost』2019.4.3.

＊2 NANCEN（難民人権センター）https://nancen.org/1938?category=118980

＊3 「ハンギョレ新聞」2018.9.27.

＊4 趙慶喜「裏切られた多文化主義——韓国における難民嫌悪をめぐる小考」『現代思想』二〇一八年八月号

＊5 「제주4・3사건진상조사보고서작성기획단「제주4・3사건 진상조사보고서」（제주4・3사건 진상규명및희생자명예회복위원회, 2003）, 68.

＊6 『ハンギョレ新聞』2018.6.18.

＊7 「분별없는 환대의 폭력성을 돌아봐야 할 때」『복음과사상』2019.5.27.

I－3 〈辺境＝最前線〉、そして〈極限〉としてのガザ地区

早尾貴紀

はじめに

パレスチナ自治区の一部をなすガザ地区。ただし「自治」とは名ばかりで、陸海空をイスラエルによって封鎖された狭隘な人口密集地で、イスラエル軍による攻撃に絶えずさらされ、実質的に「天井のない監獄」である。

このガザ地区について、何をどう語ればいいのか、戸惑いが尽きない。いかにガザ地区内のパレスチナ人の生活が非人道的で悲惨な状態かを切々と訴えることもできる。あるいはいかにイスラエルのガザ攻撃が残虐で多数の死傷者を出しつづけているのかを告発することもできる。逆に、そんななかでも音楽や絵画などの文化創造をしたり、起業をして新しいビジネスを始め

たり、といった希望を見つけ出すこともできる。どれも現実の一面ではある。

だが、そういう側面を切り取ることでは、パレスチナ／イスラエルの現代史においてガザ地区が担わされた特異なポジションを伝えることができないように思われる。特異なポジションというのは、ガザ地区がパレスチナのなかでも最果ての「辺境」であると同時に、しかしイスラエルの軍事占領政策の「最前線」でもあるというような特異性である。しかも、それはすでに「極限」的な状況を呈している。

二〇一八年、イスラエルが一九四八年に建国されてから七〇年という節目の年に、そのことの意味はかつてないほど浮き彫りになったように思う。一方でイスラエルは建国七〇年を盛大に祝い、アメリカ合衆国がエルサレムへの大使館移転（国際法違反で国連決議違反）でもって花を添えた。他方でガザ地区では、占領に反対し米大使館移転に反対するデモが繰り返し行なわれ、イスラエル軍はそれに対して容赦なく弾圧を加えた。建国記念日とその前後で約一〇〇人、二〇一八年を通して二〇〇人以上のパレスチナ人がイスラエル軍に殺害された。絶望的なまでの非対称性に眩暈を覚えるほどだが、しかし世界はその不正義に目を閉ざし、パレスチナ人の声に耳を閉ざしたままであった。

1 「イスラーム原理主義組織ハマースが実効支配しているガザ地区」というデマゴギー

ガザ地区について、一般的な人はどのようなイメージを持っているだろうか?まず思い浮かぶのは、この十数年日本のマスメディアで繰り返し使われている表現「ガザ地区を実効支配するイスラーム原理主義組織ハマース」だろう。これを耳にすれば、「そうか、ハマースというテロ組織が武力でガザ地区を不当に支配しているのだな」という印象を抱くだろう。その延長上に「イスラーム国(IS)」を連想する人もいるかもしれない。そこでは対比的に、パレスチナ自治区の主要な地域をなすヨルダン川西岸地区のほうは、主流派のファタハ主導のパレスチナ自治政府によって正当に統治されており、イスラエル当局と協力関係を維持している、ということが示唆されている。そして、西岸地区は安定しているから武力衝突のニュースは聞かないが、ガザ地区からは紛争のニュースが絶えず、ハマースがイスラエルに対してテロ攻撃を加えているからイスラエル側が反撃・報復しているのだ、というイメージを持つだろう。実際日本のガザ報道では「テロ」「衝突」の言葉がつねに踊っている。

だが、選挙による民主的正統性はハマース政権にあり、ファタハの自治政府は選挙を無視した武力クーデタで西岸地区を制圧している、という真逆のことが明白な真実だということを、世界中の人々は忘れているだろう。つまり、二〇〇六年のパレスチナ自治評議会選挙で、それ

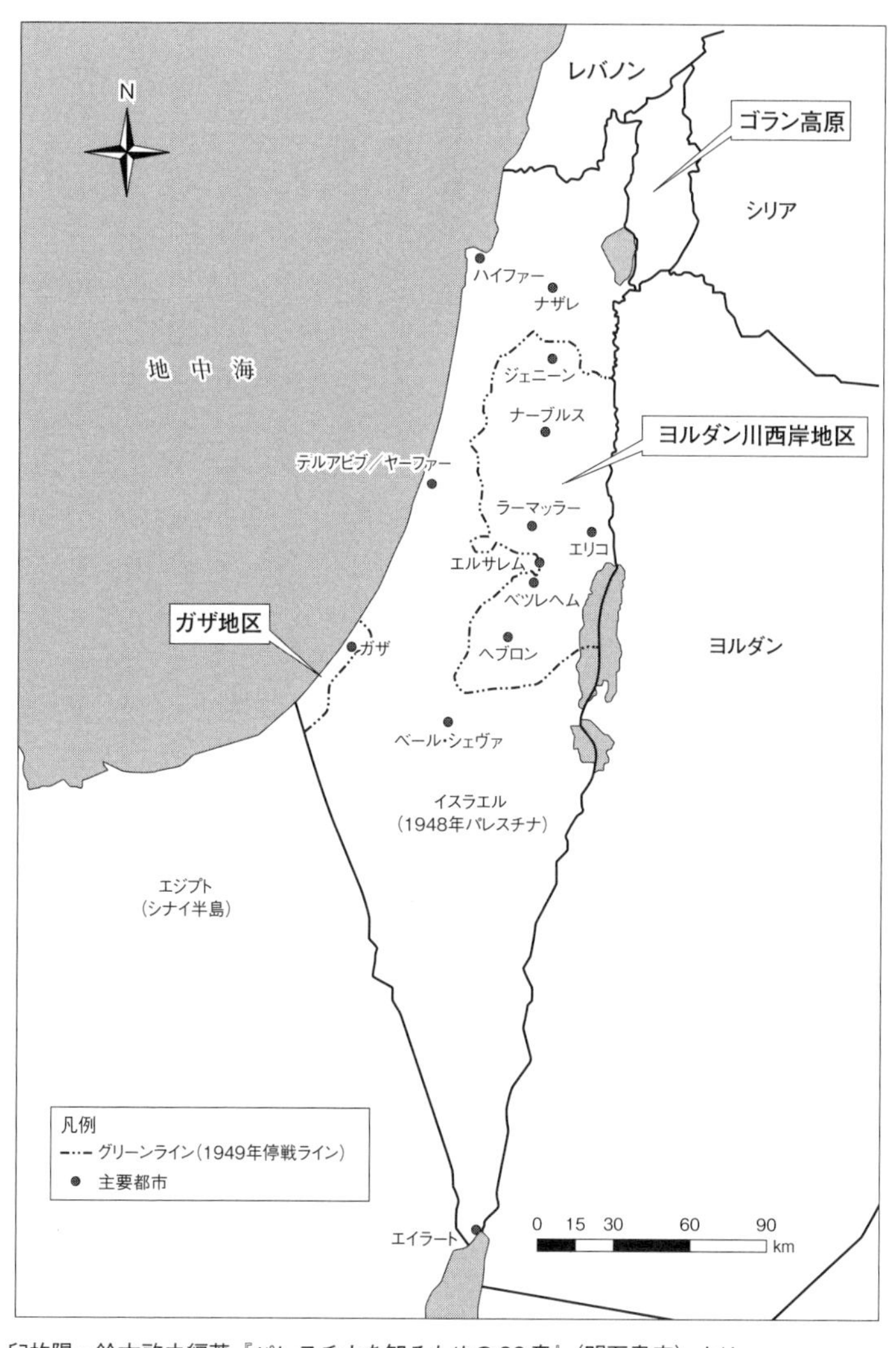

臼杵陽・鈴木啓之編著『パレスチナを知るための60章』（明石書店）より

までイスラエルとの協力を前提とした自治評議会の選挙に参加してこなかったハマースが、西岸地区とガザ地区の両方で圧勝し、一九九三年のオスロ和平合意以降ずっと与党であったファタハが惨敗したのだが、それがパレスチナ自治区における最後の選挙であった。

ハマースはイスラエル国家を承認してこなかった。一九四八年のユダヤ人国家の樹立がそもそも不当なことであり、パレスチナ全土が占領から解放されるべきだ、という原則（かつてはファタハもその原則に立っていたはず）を保持してきたのだ。しかし評議会選挙に打ってでて自治政府の政権を取るということは、オスロ合意の枠組みのもとでイスラエルとの協力関係を前提としており、それはイスラエル国家の承認を事実上意味する。つまりハマースは国際社会の認めた現行国境のイスラエルを受け入れることで、ヨルダン川西岸地区とガザ地区に限定した地理範囲での軍事占領の終焉とその両地区でのパレスチナ国家独立を目指すという現実主義的方針へ転換したのだった。

まさにそれこそが、イスラエルには受け入れられないものだった。イスラエルとその守護者アメリカ合衆国とは、惨敗した旧自治政府ファタハに武器と銃弾と軍資金とを提供し、選挙結果を覆してハマースを政権から追放するクーデタを煽動した。イスラエル軍は西岸地区で、当選したハマースの議員をはじめとするハマースの活動家を芋づる式に逮捕・投獄することで、ファタハのクーデタをさらに物理的に支援した。パレスチナは、二〇〇六年の選挙から翌〇七年にかけてファタハ対ハマースの激しい内戦状態になり、西岸地区はイスラエルとアメリカに支援されたファタハが武力制圧し、逆にガザ地区ではハマースのほうが強力でファタハが一掃された。

日本も含む国際社会は、イスラエルとアメリカに同調して選挙に敗れたファタハのクーデタ政権を支持し、逆に民主的選挙で勝利したハマース政権を徹底してボイコットした。そして、西岸地区で逮捕されたハマースの議員・活動家たちは、イスラエル当局によって政治犯として逮捕・投獄されるか、あるいはガザ地区に移送された。こうして、

西岸地区＝ファタハ系自治政府の統治継続、

ガザ地区＝ハマースによる実効支配、

という分断状況が生まれたのであった。しかし法的に言えば、それぞれ「西岸地区を武力で支配するクーデタ政権ファタハ」と「(西岸地区を武力で追放され)ガザ地区を合法的に支配するハマース」と言うべきなのだ。だが、日本政府もイスラエル・米国とともにハマースを敵視し、ファタハの軍事クーデタを支持したために、日本のメディアもそれに同調した報道をしている。二〇〇七年のクーデタから一〇年以上が過ぎ、私たちはこのパレスチナ分断の経緯を忘却してしまった。

2　全体が「難民キャンプ」であるガザ地区

しかし、そもそも「ガザ地区」とは何なのか。どうしてガザ地区ではハマース支持が強かったのだろうか。それはガザ地区の成立過程に深く関わっている。国連が一九四七年に決議したパレスチナ分割決議では、イギリス委任統治領パレスチナをユダヤ人国家とアラブ人国家に二分することで、ヨーロッパから集団移民してきたユダヤ人の郷土建設問題と、アラブ人の独立問題とを解決しようとしたのだが、そのときヨルダン川西岸地区とガザ地区とはいずれも現在の面積よりもはるかに広く（両地区でパレスチナ全土の四三パーセント）、両地区間での通行が確保できるように接地していた。しかし、半分以上の土地の譲渡を受け入れられないアラブ人側と、エルサレムへのアクセスも含めて獲得面積になお不満のあったユダヤ人側の双方が反発、分割決議と同時に戦闘状態になったが、欧米からの第二次世界大戦に使用されたばかりの最新の武器支援を受けたユダヤ人側が、オスマン帝国下で第一次世界大戦時に使用された旧式の武器しか持たないアラブ人側に圧勝し、新生イスラエルはパレスチナの七七パーセントの土地を軍事占領して領土化し、反対に西岸地区とガザ地区はどちらも大きくイスラエル側に削り取られ（さらに半減し約二三パーセントへ）、完全に飛び地として離れてしまった。特にガザ地区は小さく切り縮められ、東西方向に平均九キロメートル幅で、南北方向に約四〇キロメートルの細長い切れ端のような土地になってしまった。面積わずか三六〇平方キロメートル。これとほぼ同じ面積の日本の自治体は、たとえば栃木県佐野市やあるいは岡山県倉敷市だ。しかし、そのガザ地区に暮らすパレスチナ人の人口は現在約二〇〇万人。二〇〇万人というのはちょうど栃木県全体の人口、または岡山県全体の人口に等しい。すなわち、栃木県民全員が佐野市に、岡山県民全員が倉敷市に押し込められたような人口過密ぶりであり、世界最高の人口密度と言われるゆえんである。

そもそも存在しなかったユダヤ人国家が突然に欧米の政治的・軍事的支援で出現し、そこに暮らしていたパレスチナのアラブ人（パレスチナ人）たちは武力によって故郷を追われて難民化した。その避難先が、西岸地区とガザ地区、そしてヨルダン、レバノン、シリア、エジプトなどであったのだが、特に狭隘な土地となったガザ地区では難民の比率が高く、二〇〇万人のうち約七五パーセントの一五〇万人がイスラエル領に故郷を奪われた難民とその子孫である。言ってしまえば、ガザ地区は全体として難民キャンプの集合体である、と見なすことができる。

難民が多い、難民の割合が高いということは、つまり直接的にイスラエルに収奪を受けてきたことに対する抵抗運動に参加する動機が大きいことを意味する。一九九三年のオスロ和平合意でファタハを中心とするパレスチナ解放機構（ＰＬＯ）が、国連の認めているパレスチナ難民の帰還権を無視してイスラエルを承認し、イスラエルの協力のもと自治政府を発足させたが、イスラエルは西岸・ガザの軍事占領を終わらせるどころか、占領地へのユダヤ人の入植活動を強化し、とりわけ西岸地区の事実上の領土化を推進していった。それでも自らの権力と利権を優先しイスラエルとの妥協を重ねるファタハ中心のPLO・自治政府に対して、パレスチナ人の大衆的な支持が離れていき、ハマース支持が強まっていったのも当然のことであった。二〇〇六年の国際監視団のもとでの公正な選挙結果は、旧来のファタハ自治政府に対する健全な批判票としてハマースへの政権交代が選ばれたということでしかなかった。オスロ合意が反古にした難民帰還権や入植活動停止をパレスチナ人があらためて求めたということであり、「イスラーム原理主義」などまったく論点ではなかった（そもそもハマースはイスラーム的な互助組織を基盤として発達したもので、「原理主義」ではないし、パレスチナ人がイスラーム色を強めたということでもない）。すなわち、「オスロ和平体制」と言われるものの下では、それを支えるイスラエルと国際社会（日本も大スポンサーである）によって、自治政府周辺にだけ援助金が潤沢に回り、表面的には人件費と公共事業とで恩恵を受ける特権層が生まれたが、大多数のパレスチナ人、特に難民キャンプの人々はその恩恵から排除されたままだったのだ。自治政府の中枢機関が集中する西岸地区のラーマッラーを中心に特権層が形成され、難民比率の高いガザ地区が取り残され、階層分化がいっそうはっきりしていった。オスロ体制に対する異議申し立ての声は当然ガザ地区で強い。

3　オスロ和平体制に対する三度の組織的な異議申し立て

そのオスロ和平体制に対する大衆的な異議申し立ては大きく三度あった。

一度は二〇〇〇年から数年続いた、いわゆる「第二次インティファーダ」である（第一次インティファーダは一九八七年からの数年間であり、その帰結がオスロ合意と言える）。西岸地区とガザ地区とそしてイスラエル領内のパレスチナ人の一部にも広がった、イスラエルの占領政策に対する大規模な抗議活動であった。それに対するイスラエルの回答が、徹底した武力弾圧と西岸地区への隔離壁の建設であった。パレスチナ自治政府は屈服して白旗を揚げ、蜂起は沈静化し隔離壁も滞りなく建設されていった。

この第二次インティファーダ期に私はパレスチナ／イスラエルに研究滞在し、基本的には東エルサレムに居住しながら西岸地区・ガザ地区の各地をつぶさに見て歩いたが、国際支援で建設された自治政府関係の建物は徹底して空爆対象とされ破壊され尽くしていた。逆に西岸地区の主要部分を分断しながら囲い込む隔離壁は、総延長七〇〇キロメートルにも達するが、街の破壊後の無力感のなかで着々と壁建設が進められていった。それまで広がっていた街の景色のど真ん中に、高さ八メートルにも達するコンクリート壁が出現して風景が一変した。

そこで二度目の異議申し立てが、イスラエルに対して、そして自治政府に対して示されたのが、先述の二〇〇六年の評議会選挙でのハマース圧勝であった。これに対するイスラエルの報復は、ファタハ系旧自治政府のクーデタ支援によるハマース政権潰しであり、そしてガザ地区に追い込まれたハマース政権に対する容赦のない軍事攻撃であった。特に、二〇〇八年一二月〜〇九年一月にかけて、二〇一二年一一月、二〇一四年七月〜八月にかけての三回、イスラエル軍による集中的なガザ侵攻作戦が展開され、それぞれ約一四〇〇人、約二〇〇人、約二二〇〇人のパレスチナ人が殺害された。もちろんそれ以外の時期も単発的な空爆や侵攻はつねになされており、死傷者も絶えることはない。

そして二〇〇六年選挙、〇七年クーデタ以降、いま現在にいたるまで、何度もハマースとファタハとの連立政権が模索されたが（ファタハの内部にはクーデタ側の反ハマース派もいれば連立を目指す親ハマース派もいる）、ハマースが政権の一部に入ることさえイスラエルからすれば許容できないことであり、イスラエルはパレスチナで連立交渉が進むごとに軍事介入をして潰してきた。それは、ハマースがイスラーム色を持つからではまったくない。そうではなく、ハマースが占領の完全終了（東エルサレム解放とユダヤ人入植地の撤去を含む）とパレスチナ難民の帰還権を妥協なく訴えているからである。そしてこの二点は、ハマースの主張である以上に、パレスチナ人たちの譲れない主張だ。またこの二点こそがイスラエルが最も拒絶したいものであり、だからこそハマースとは一切交渉をしないのだ。

私たちがメディアをとおして「ガザ地区を実効支配するイスラーム原理主義組織ハマース」

という表現に慣れ親しんでしまっているときに、「実効支配」という言葉によってハマース政権の選挙による正統性が隠蔽され、「イスラーム原理主義」という言葉によって占領と難民を訴える正当性が隠蔽されてしまっているのだ。「ハマースは武力で不当にガザ支配をしているから交渉しない」、「ハマースはイスラーム原理主義組織（＝テロ組織）だから交渉しない」ということをマスメディアによって刷り込まれているのだ。

そうして三度目の組織的異議申し立てが二〇一八年からガザ地区で始まった「難民帰還の大行進」である。冒頭でも触れたように、二〇一八年は一九四八年にイスラエルが建国されて七〇年の節目であったが、それはパレスチナ人にとっては故郷が破壊されて七〇年であった。イスラエルが盛大に祭典を企画し、それに合わせて米大使館のエルサレム移転が進められようとしているときに、ガザ地区のパレスチナ人たちは組織的かつ継続的な抗議デモの計画を打ち出した。三月三〇日の「土地の日」（イスラエルによる土地収用に反対して一九七六年にゼネストを行なった日を記念して毎年パレスチナの各地で反占領の集会が開かれる）を始まりとして、そこから五月一四日のイスラエル建国記念日に向けて毎週末に大規模なデモをイスラエルとの境界線近くで行なうこととしたのだ。イスラエル建国は難民発生の根本原因である以上、建国の祝祭に反対する最大の争点はパレスチナ難民の帰還権だからだ。

イスラエルは、この「難民帰還の大行進」に対してすぐさま過敏に反応した。境界線近くとはいえ、ガザ地区内部での民衆デモに対して、フェンス際の外側にスナイパーを配置して狙撃したり、戦闘機や戦闘ヘリで空爆を行なったりして、毎週末ごとに多数の参加者を殺傷しつづけた。建国記念日の前後で約一〇〇人を殺害、結局「大行進」は建国記念日以降も継続され、そのたびにイスラエル軍が狙撃と空爆でデモを弾圧し、二〇一八年全体で二〇〇人以上を殺害、負傷者は約二万人に達する。

4 「難民帰還の大行進」の異様さ

この「難民帰還の大行進」と、それに対するイスラエル軍の弾圧には、それぞれに常軌を逸したものを感じる。

まずイスラエル軍による弾圧だが、イスラエルに対する抗議活動であるとはいえ、ガザ地区内部でのデモに対するものだ。そして、明らかに無防備の市民に対して、イスラエル軍のスナイパーが正確に狙い撃ちをしている。殺害を目的とするときは確実に頭や胸を撃ち抜き、そして障害を負わせたいときは片脚を撃ち抜いているが、そのときは炸裂する特殊な銃弾を用いて、骨ごと粉砕し片脚を切断せざるをえない重傷を負わせている。ガザ地区では二〇一八年から義足や車イスが圧倒的に不足して、片脚を失った負傷者に治療や支援が追いついていない。

この組織的かつ継続的な殺傷作戦はきわめて異常であり、紛争や戦争の犠牲者として定義するには不適切である。無防備な市民が一人ひとり次々と、頭か胸を正確に撃ち抜かれて殺害されるか、あるいは、片脚を正確に吹き飛ばされて障害を負わされているのである。それが一年以上続いているにもかかわらず、国際社会からのイスラエルに対する批判は非常に弱く、止めることができない。ガザ地区という「辺境」の「封鎖地帯」の出来事に対する関心の低さ、そして「イスラーム原理主義組織が実効支配する地域」への攻撃を対テロの自衛と正当化する傾向があるためだろう。

他方、パレスチナ人の側を見たときにも別様の違和感を覚える。それは、「難民帰還の大行進」に参加すれば確実にイスラエル軍によって一定数の参加者が殺傷されることがわかっていながら、若者を中心としてどうして参加するのか、ということだ。ガザ地区のパレスチナ人のなかからもそうした声が出ているし、家族が参加を止めた、止められたにもかかわらず参加した、といったことをよく聞く。言ってしまえば、これはある意味で「自殺行為」であるからだ。

ガザ地区の若者たちは、自殺行為であるとわかって参加する、自殺行為であるにもかかわらず参加する。すなわちこれは、本当に「自殺」に向かっているということではないのか。ガザ地区にあって若者たちは未来を思い描くことができない。陸海空を封鎖された狭隘な難民キャンプの集合体としてのガザ地区。失業率は五〇パーセント以上。食糧、燃料、資材、医薬品などの必需品でさえイスラエルに物流を制限されており、水道や電気の供給も著しく制限されている。そこへ断続的になされるイスラエル軍による空爆。かつては南部のエジプト国境でのトンネル密輸が命綱であったが、数百本あったその地下トンネルもほとんどが空爆で壊滅させられたうえに、新たな建設を阻む地下壁も設置された。そして国際社会は、医療や福祉の分野のNGOが文字どおり非政治的に最低限の支援をするのみで、イスラエルによる占領・封鎖・攻撃に対しては何も手を打てないでいる。これではパレスチナ人が未来に絶望しないでいることにもはや無理がある。

デモをしたところで何も変わらない。のみならず、イスラエル軍は容赦なく狙撃してくる。いつ撃ち殺されてもおかしくない。毎週仲間の誰かが射殺され、あるいは片脚を奪われているのを目にしているから、次は自分の番かもしれないという予感は当然ある。それでもデモに参加するのは、むしろ殺されるならそれでもかまわない、というどこか自暴自棄があるからだ。だから命を危険にさらしてフェンス際に近づいてデモができる。

かつて私は、ここまで封鎖される前の第二次インティファーダ期（二〇〇〇年代前半）に何度かガザ地区に入って内部を歩いている。当時はまだイスラエル軍の基地がガザ地区内部にあったが、当時からパレスチナ人の若い男性たちは、そこに対して無謀とも言える投石を繰り返していた。石を投げて届く距離まで基地に近づかなければならない。イスラエル兵による威嚇射撃はしょっちゅうある。機関銃の実弾連射がなされて、私の目の前数メートルのところに砂塵が舞い上がっていた。もちろん撃ち殺された仲間もいただろうし、銃弾をくらって負傷した経験のある若者たちも多かった。外国人である私に対して、服をめくり上げたり袖をまくったりして、自慢げに銃創を見せてきたパレスチナ人が何人もいたが、もちろん数センチずれていたら死んでいたかもしれない。それでもイスラエル軍基地へどこまで近づいて投石できるのかを仲間うちで競うことを彼らは止めなかった。度胸試しと言うにはあまりに自分の命を粗末に扱い過ぎだ。当時もそう思って見ていた。

あれから一〇年以上が過ぎた。ガザ地区の内部からイスラエル軍基地はなくなり、逆に陸海空が完全に封鎖されるようになり、そしてフェンスの外側から、あるいは上空から攻撃がなされるようになった。かつてこの「天井のない監獄」では「看守」（イスラエル兵）が内側にいて、いまではその「看守」は外側に出たのだが、しかし占領・封鎖が終わったわけではない。看守は外側の安全圏から、監獄への監視と懲罰を続けている。そうした監獄のなかで若者たちの自殺行為はいっそう自暴自棄の度を深めているように思われる。

5　占領政策の「最前線」ガザ地区の極限的状況？
――「難民キャンプ」からの追放

大規模なガザ地区侵攻があった二〇〇八年一二月～二〇〇九年一月の直後に、私はジャーナリストの小田切拓さんとともに、ガザ地区研究の権威であるサラ・ロイ氏を日本に招いていくつかの講演をしてもらったことがある（その記録は『ホロコーストからガザへ』として編訳刊行した）。ロイ氏はホロコーストの生き残りを両親に持つポーランドにルーツを持つユダヤ人でありながら、明確にイスラエルのシオニズム思想と占領政策に反対している。そのロイ氏のガザ分析の鋭さは際立っており、ガザ地区がイスラエルの占領政策全体にとって大きな「役割」を担ってきたことを早くから指摘していた。すなわち、占領下のパレスチナ人をIDカードで管理する方法や、フェンスや壁で囲い込む方法、そしてヒト・カネ・モノの流通をコントロールする方法などは、まずガザ地区に導入され効果が確認された後に、西岸地区に導入されている。ガザ地区はいわば占領政策の「実験場」である。

さらに、狭隘で切り離されていて、乾燥地帯で資源的価値の小さいガザ地区は、隔離するのにも便利であり、西岸地区や東エルサレムから邪魔なパレスチナ人を放り込んでおく場所としても使われてきた。近年はハマースの政治家・活動家を西岸地区から放逐する場所となっている。いわば「流刑地」としてのガザ地区だ。

さらにロイ氏によると、ガザ地区への苛烈な攻撃は、集団懲罰の「見せしめ」として機能しており、西岸地区に対して「イスラエルに抵抗するとこういう目に遭うぞ」という脅迫のメッセージとなっている。西岸地区のファタハ自治政府はガザ攻撃を見せつけられては、いっそうイスラエルに対して従順になる。しかしそれによって西岸地区は占領を免れるのではなく、逆により効果的に占領下に組み込まれるようになる。

すなわちイスラエルにとっては、ガザ地区は南部の「辺境」にあり、かつ西岸地区のように水源や農地としての価値は持たないが、その西岸地区をより徹底的に収奪するための占領政策の「最前線」を担わせられてきたのだ。いまのガザ地区はその役割も最終段階であろうか、あまりにも絶望的な状況が続いたために、先述のように若者たちの「自殺行為」が目に余る。

さらにこの状況下にあって複雑でやや異様なニュースも聞こえてきた。ガザ地区から幸運にも留学や研究や就職で外国に出ることのできた高学歴者たちを中心として、そのままガザ地区に戻らないケースが急増しているという。それは一方で「頭脳流出」として知識や技術を持つ人材の不足を招くことになるのだが、他方で異様なことに、ガザ地区からのパレスチナ人の離脱をイスラエル政府が推奨し、具体的に支援さえし始めているというのだ。移動のための費用負担だけでなく、外国での受け入れ先探しや、移動のための空軍の飛行場・航空機の提供などだ。その効果が出始めているのか、二〇一八年の一年間で自発的にガザ地区を離れた人口が推計で約三万五〇〇〇人に達するという。

これはかつて一九四八年のパレスチナ難民発生時に、イスラエルがそれを「追放」とは認めず、「自発的な避難移住」であったと主張したことを彷彿とさせる。ガザ地区はパレスチナの辺境にある難民キャンプの集合体だと述べたが、その難民キャンプからさえもパレスチナ人たちは、「善意」の装いでもって体よく「追放」され始めているのである。

日本も含む国際社会がイスラエルとアメリカ合衆国とに従って一緒に追いつめたガザ地区は、まさに崩壊の最終局面を迎えているように思われる。

（二〇一九年九月三日）

【参考文献】

清田明宏『天井のない監獄　ガザの声を聴け！』集英社新書、二〇一九年
イラン・パペ『パレスチナの民族浄化――イスラエル建国の暴力』田浪亜央江・早尾貴紀訳、法政大学出版局、二〇一七年
藤原亮司『ガザの空の下――それでも明日は来るし人は生きる』dZERO、二〇一六年
サラ・ロイ『ホロコーストからガザへ――パレスチナの政治経済学』岡真理・小田切拓・早尾貴紀編訳、青土社、二〇〇九年

第Ⅱ部　現代的暴力の所在

Ⅱ－1　東アジアの米軍基地のなかで重なり合う暴力、浮かび上がる歴史

呉世宗

1　はじめに――二つの出来事から

とある米軍基地建設予定地での出来事である。

新基地建設のために旧学校の建物が強制収用され、取り壊されようとしている。校庭らしき場所で対峙しているのは、約一万人の機動隊とおよそ千人の市民である。

ジュラルミンの盾と棍棒で武装している機動隊。それに対し市民たちが手にしているのは、竹。衝突が始まると、一人ひとりが長めの竹をしならせ抵抗するものの、その竹はすぐに割れ、使い物にならなくなってしまう。そうなるや市民を待ち受けているのは、機動隊による棍棒や蹴りの雨である。

じりじりと機動隊が校舎に迫り、そして校内へ強烈な放水が始まる。この「水大砲」で人々が蹴散らされるなか、建物内の廊下では再び市民と機動隊が激突する。しかし力の差は歴然としており、あっという間に人々は建物の奥に追い込まれる。廊下で倒れ、もはや身を守ることさえできない人に対しても容赦なく盾で殴りつけつつ、前進してくる機動隊。

しかしこの状況を予想していたのであろう、奥の部屋には人々がすでに集結しており、互いの腕を組み合わせ座り込んでいる。そして声だけを残された武器として、一語一語、迫りくる機動隊にぶつけるかのように叫び続ける。

「暴力、警察、出、て、い、け！」

だが一人ひとりごぼう抜きにされ、外に放り出されたある者は頭から血を流し、またある者は歩けなくなり、医療センターらしき場所に続々担ぎ込まれる。この日およそ二〇〇名が逮捕され、旧校舎は収用され、取り壊された[*1]。

これは新基地建設が強行されている沖縄・辺野古での出来事ではない。駐韓米軍の編成のために新基地拡張建設地に指定された、韓国・平澤（ピョンテク）市で二〇〇六年五月に起こったことである。

他方、同じと言っていいほどの状況が、米軍新基地建設が進んでいる辺野古でも起こっている。大浦湾を埋め立てるための資材等を搬入するゲートは一箇所である。基地建設に反対する人たちは、ダンプの侵入を阻止するべく朝早くからそのゲート前に座り込み、互いの腕を絡み合わせる。平澤の人々と同じようにである。そこに整然と動く機動隊が現れる。

「帰れ！　帰れ！　機動隊帰れ！」

叫ぶ人々に対し、マスクやサングラスをかけ顔を隠した機動隊が、座り込む人と人のあいだに無理やり足を押し込み、腕を摑み、数人がかりで一人をごぼう抜く、という暴力的行為を繰り返す。マスクの下では何かを喚いている。抵抗する人たちも、引き抜かれようとする人を離すまいと服を、腕を、脚を摑み、皆が座っている場所に戻そうとする。しかし機動隊に手を出すことはない。それは沖縄の人々が非暴力の抵抗というスタイルを、とりわけ阿波根昌鴻や伊江島の人たちの闘いから学んできたからだ。

だが機動隊は、カメラが回っていても容赦なく引き抜き、どこかに連れ去っていく。強制的に連れていかれる者たちは、一様に痛みを叫びとともに訴える。

「痛い！　痛い！　痛い！　腕が折れるぞ！　あーー！」

「右腕をねじってる！　取って！　取って！」[*2]

人々が排除され、往来可能となったゲートの先にダンプが次々と消え、海が埋め立てられていく。

戦争状態と言ってもよい、凄まじい状況が平澤でも辺野古でも起きているわけだが、この国家暴力、軍隊がもたらす暴力は、米軍基地のあるところではほぼ同じように起こることである。他方でこの二つの地域の状況を見ながら私は、一九五〇年代に沖縄で起きた米軍による土地収奪を直接目撃したような錯覚にも陥った。それは東アジアに偏在する米軍基地が、その場その場で起こる基地被害や抵抗運動を他の地域でのそれと重ね合わさせ、のみならず基地の底から幾層もの歴史を図らずも浮かび上がらせるからである。

2　韓日間で連動する米軍基地再編と共有されるものとしての被害

現在の韓日間で、それほど知られていないものの一つが互いの米軍基地問題だろう。もちろんそれぞれの米軍基地の現状や歴史を詳述することはできないので、主に一九九五年以降の辺野古、平澤の米軍新基地建設の動向を中心に問題を見ていきたい。

一九九五年、米兵三名が少女暴行事件を起こし、沖縄の人々の激烈な怒りを呼んだことはいまだ過ぎ去らない出来事となっている。この噴き上がった怒りによって、在沖米軍基地の整理・縮小が議題として上がることになる。しかしその後、日米両政府が設置した「沖縄に関する特別行動委員会（ＳＡＣＯ）」は、一九九六年一二月、普天間飛行場を返還する代わりに辺野古に新基地を建設することで合意してしまう。ここから今に続く、辺野古新基地建設をめぐる人々の抵抗が始まるのである。[*3]

ところで暴行事件のあった九五年は、九一年のソ連崩壊と湾岸戦争への自衛隊派遣という事実を受け、日米安保の存在意義が問われていた時期にあたっていた。結果的に米国は、極東からアジア太平洋地域へと対応範囲を拡大し、それに合わせるように日本では、「日米防衛協力のための指針」を日本の平和や安全のためであれば周辺事態にも対応すると改定することで日米安保が「再定義」される。ＳＡＣＯ合意はこの再定義の文脈の下にあると見ることができ、普天間飛行場の辺野古への「移設」は、米国の新たな軍事戦略に基づいた在日米軍基地再編の一環にほかならないものであった。

他方九五年以降、韓国でもやや時間差を伴って駐韓米軍の再編が行なわれることになる。基地が被害をもたらすだけでなく都市の発展も阻害しているという不満が韓国国内に溜まっていたところに、二〇〇二年六月の米軍装甲車女子中学生轢死事件が大きな要因となって駐韓米軍の再編は実行に移されることになる。とはいえ、轢死事件の少し前（二〇〇二年三月）に米軍が基地再編計画にあたる「連合土地管理計画」を韓国側に提案していたことからすれば、日本と韓国の米軍基地は、対応範囲を拡大しようとする米国の軍事戦略のもと連動して再編されたと見ることができる。

駐韓米軍の再編は、ソウルにある龍山(ヨンサン)基地よりも南後方に、すなわち三八度線からさらに遠ざかる地点に、散らばっている基地を集中・「移転」させる計画となった。このこともまた地理的な場所変更に留まらない米国の東アジア戦略の狙いの現れであった。つまり朝鮮民主主義人民共和国への即応的な対処だけに縛られない自由な軍事行動を、すなわち中国を主に視野に入れつつ、対テロや他の紛争地域の対処へと米国の役割を拡大するための編成であったのである。

この韓国における戦略転換を、のちに米国は「戦略的柔軟性」と呼ぶことになる。これは一九五三年に韓国と米国の間で調印された、韓米相互防衛条約の文言の曖昧さを利用した戦略および命名とも言える。というのもその前文には、「いかなる潜在的侵略者も、いずれか一方の締約国が太平洋地域において孤立しているという錯覚を起すことがないようにするため、外部からの武力攻撃に対して自らを防衛しようとする共同の決意を公然と且つ正式に宣言することを希望し〔…〕」とあり、「潜在的侵略者」や「錯覚」などがそもそも解釈次第であったからである。[*4] いずれにせよ「戦略的柔軟性」は、「侵略者」を「柔軟」に解釈したうえで軍事行動に移るという米国の意志を示す命名であった。

駐韓米軍の再編は、二〇〇二年の「連合土地管理計画」、そして二〇〇四年の「龍山基地移転協定」によって具体化する。一〇〇以上に散らばっていた基地を平澤圏と大邱(テグ)圏の二大中心地に各々「移転」させ、再編成するものである。そこには米第二師団や国連司令部も含まれており、そのためこの「移転」は、二大中心地にもともとあった基地の拡張を伴うこととなった。「移転」完了後の基地総面積は八〇〇万坪を超える大きさとなる予定であるが、それはもとの基地面積を二倍以上拡張するものであった。所属人員も二つの主要基地あわせて五万人増員の六万一千名超となる。これらの数字だけを見ても、基地の「移転」や「移設」は、土地、人員、機能などにおいて大きな変更をもたらしうるものなのである（単純な比較はできないものの辺野古で強行的に建設されている新基地も、滑走路に横付けで軍艦が停泊できる設計になっており、平澤圏と同じような機能が拡大的に与えられようとしている）。

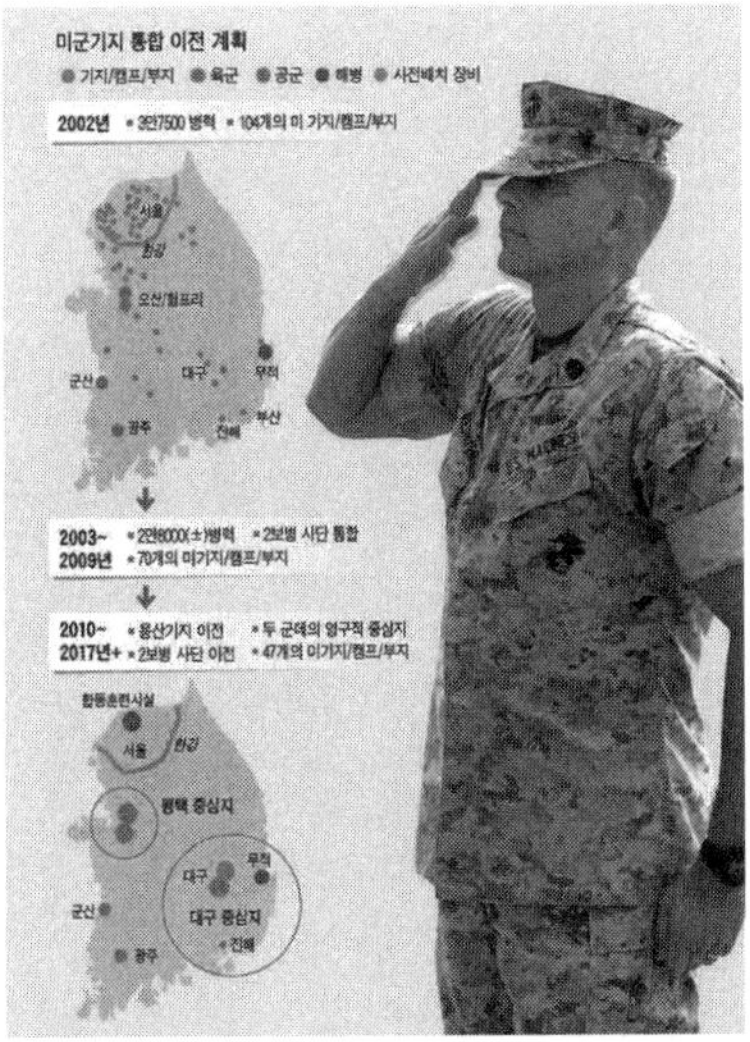

上の図が2002年時点での駐韓米軍基地の配置状況であり、下の図が「移転」完了後である。（写真は平澤平和センターのウェブサイトから（http://www.peacept.org/））

この米軍の役割拡大を象徴する新基地建設の場として選ばれたのが、平澤市である。平澤市にはもともと北部に烏山（オサン）エアベース（ソタンK－55空軍基地）が、南部にキャンプ・ハンフリーズ（彭城K－6陸軍基地）があり、その他アルファ弾薬庫と夜戦訓練場もある。ここに他の基地が統合されることとなったのである。米軍基地拡張「移転」事業が完了すると、平澤は在韓米軍司令部、国連軍司令部を備える世界最大の米軍国外基地となる。

この基地の再編に並行するように拡大しているのが基地被害である。そしてこれも韓国と沖縄の状況が重ね合わされる。

基地はさまざまな被害を近隣にもたらすが、環境への影響は深刻な問題の一つであろう。韓国でも沖縄でも騒音、土壌汚染、水質汚染、射撃訓練上での繰り返される誤射などが明らかになっている。二〇〇〇年には、龍山米軍基地から毒物が漢江(ハンガン)に放出されるという事件も起こった。映画『グエムル』の背景である。また駐韓米軍基地の再編にともない返還された土地もあるが、深刻な汚染状態で戻されている。枯葉剤が秘密裏に埋められたという証言も存在する。つい最近沖縄でも、普天間飛行場周辺で深刻な水質汚染が確認された。韓国での環境問題に関しては、中学生二人の轢殺事件(二〇〇二年)を機にSOFA(韓米行政協定)が見直され、改善的に環境条項が設けられた。しかし依然として環境問題は、韓国でも沖縄でも日常的に起こり続けている(もちろん強姦、殺人、窃盗、ひき逃げ、飲酒運転、家屋侵入など、米軍、米兵による犯罪行為もとどまることを知らない問題となっている)。

平澤に目を向けるならば、烏山空軍基地配備の軍用機が巨大な騒音を発生させ、キャンプ・ハンフリーズも陸軍基地でありながら滑走路を備えているため、ヘリコプターの騒音が近隣住民たちを悩ませている。騒音の精神的ストレスによる自殺率の上昇、食欲不振の訴えやうつ病診断の増加、記憶力や集中力の減退、初期妊娠での流産などが基地周辺の調査で報告されている。基地拡張によりこれらの被害がさらに拡大することが予想されている。

これらもともとあった基地被害に加わったのが、基地拡張のための土地収奪である。米軍基地拡張・移転計画が韓国国会で批准されると（二〇〇二年）、当然のことながら平澤市住民の反発が強まる。それへの対策として韓国政府は「駐韓米軍基地移転に伴う平澤市などの支援等に関する特別法」を制定し（二〇〇四年）、自主的に土地を明け渡せば手厚く補償金を支払うとすることで土地の確保を図ろうとした。しかしそれでも応じない住民が多数にのぼると、韓国政府は中央土地収用委員会で土地の強制収容を決定し、さらに米軍基地拡張予定地を軍事施設保護区域と指定した。軍事施設保護区域に指定したのは、住民の判断を問うことなしに土地の接収ができるようにするためである。最終的に政府は行政代執行を行ない、韓国軍や警察の動員、それだけでなく民間警備会社、ヤクザなども利用して強制的に土地収奪を実行した。本稿冒頭で再現した人々の叫び——二〇〇六年の出来事——は、まさにこの土地収奪に対して発せられたものであった。

さらに付け加えるならば、二〇一五年には米国の軍研究所から炭疽菌が平澤・烏山の米軍研究所に配送されるという事件が起きている。炭疽菌の移送や研究自体が国際的に禁止されているにもかかわらず、である。当初米軍は単純な誤配であったと説明したが、市民たちの追及によりそれが嘘であることが判明し、それだけでなく米軍基地で細菌兵器の実験や訓練が行なわれていたことも明らかとなった。

これら韓国での事例を少し取り上げるだけで、もはや沖縄での土地収奪や基地被害などの現状や歴史と見分けがつかなくなってくる。

沖縄でも軍用機の騒音が難聴や精神的ストレスをもたらしており、また韓国の土地収奪の仕方は五〇年代沖縄の「銃剣とブルドーザー」と言われたやり方と重なってくるものである。金をばらまいて明け渡しを強いる仕方も沖縄で現に行なわれていることである。そのような政府のやり方が社会に葛藤をもたらしていることも、国境を越えて見られる。

また炭疽菌事件は、沖縄で一九六九年に起きた、旧美里村（現沖縄市）にあった知花弾薬庫で起きたVXガスの流出事故を想起させるものである。事件が報道されると、米軍はしぶしぶ秘密裏に毒ガスを持ち込んでいたことを認めた。VXガスは七一年九月に白昼堂々と旧具志川市まで運ばれ、そこから米国領ジョンストン島まで移送された。平澤でも沖縄でも人々の知らないところで危険物が持ち込まれ、かつ間接的にではあれ住民を加害者にしてしまうかもしれない訓練が行なわれていたのである。

要するに人々は、国境をまたぐ米国の軍事戦略と基地の存在によって、同じような被害や暴力を時間差をともなって被るのである。そのため韓国と日本・沖縄のあいだでは、一方の側で先行的に何らかの事件が起きたかと思えば（たとえば一九九二年の尹今伊殺害事件）、もう一方の側で遅れて同じようなことが起こり（たとえば二〇一六年のうるま市女性殺害事件）、その逆もありうるという折り重なり合う関係にある。それは起きた事件が即座に共通する歴史と化すという構造である。そのため今現在起きている問題の詳細や行方を知りたければ、相手方の基地やその被害の歴史を参照することが基礎的作業となろう。辺野古基地に関して言えば、平澤での状況が参照先になるし、また済州島・江汀（カンジョン）でほぼ完成してしまった韓国海軍基地を見れば、新基地建設の行方や韓国軍と米軍の新たな協働的な体制が見えるということになる。

3　米軍基地の下に潜む歴史

さらに東アジアにおける米軍基地問題は、旧日本軍の歴史、日本の植民地の歴史とも深く関わり合っている。

キャンプ・ハンフリーズは、もともと植民地期に日本陸軍が建設し、朝鮮戦争のさなかである一九五二年に米軍が接収した基地である。住民たちは自らが暮らす土地から、日本軍と米軍によって二度も追い出されたことになる。沖縄も同じような歴史を共有しており、現在の嘉手納基地は、日本軍が戦時中に建設した飛行場を米軍が接収したものである。また普天間飛行場は沖縄戦時に米軍が土地を接収し建設したが、その目的は日本「本土」での決戦に備えてのことであった。つまり日本の植民地支配、あるいは無謀でしかなかった沖縄戦が行なわれたがゆえに今の米軍基地があるのである。

そのような歴史は単に過去の出来事としてあるわけではなく、時に応じて浮かび上がる生きた地層である。そして現在この地層は、二〇一一年に打ち出された米国の「アジア回帰」戦略を契機にして改めて焦点化されている。

本来であれば米国の東アジア戦略を検討するには、少なくともここ二〇年間に米国のシンクタンクなどが提出した、各レポートやシミュレーションを分析する必要があろう。しかし本稿では、九五年以降の米国の東アジア戦略の延長線上にある、オバマ政権時に提唱された「アジア回帰」戦略だけを少しばかり確認し、基地の底から浮上する歴史を見てみたい。

米国のアジア回帰戦略とは、九・一一以後の中東への軍事的介入主義から、主として中国を牽制・封鎖するためにアジア・太平洋に経済・外交・軍事上のウエイトをシフトさせる戦略であるが、そのために東アジアにおいては、主要同盟国である韓国と日本との軍事同盟体制をさらに強化させるものである。韓国・星州への高高度ミサイル防衛システム（THAAD）の導入、自衛隊の集団的自衛権の行使を可能にする安保法制の制定、宮古島への陸上自衛隊警備部隊（ミサイル基地）の配置などがアジア回帰戦略を具体化するものとなっている。

より重要なのは、アジア回帰戦略が軍事同盟を日米、韓米といった二国間関係から多国間関係へ発展させようとするものであり、そのために韓日間の軍事協力の強化を求めるものであったことである。もちろんこれまでにも、たとえば二〇一五年五月の韓米日国防長官会談で対朝鮮民主主義人民共和国のための軍事体制強化がうたわれたように、韓日の軍事協力関係は米国の戦略のもと維持されてきた。しかしアジア回帰戦略において、韓日間の軍事協力の強化がよりいっそう求められることとなったのである。二〇一五年一〇月、海上自衛隊の軍事パレードに韓国海軍の軍艦が初めて参加したことは、推進される協力関係を可視化するものであった。さらに、現在まさに問題となっているＧＳＯＭＩＡ（軍事情報包括保護協定）――軍事機密情報を互いに提供し合うことを約束する協定――が二〇一六年一一月に韓日間で締結されたことは、両国の軍事協力関係強化の実践であった。

　ここで見逃していけないのは、ＧＳＯＭＩＡ締結に先立つ二〇一五年末、いわゆる「慰安婦合意」が結ばれたことである。一九六五年の日韓条約が、韓日両国をベトナム戦争に協力させようとする米国の後押しもあって歴史認識問題を棚上げしたまま締結されたのと同様、「慰安婦合意」もまた米国の軍事戦略の遂行ために韓日間で歴史認識の共有を図ること、すなわち実質的に歴史的事実を抑圧するものだったのである。その意味で日本軍「慰安婦」問題の「最終的で不可逆的な解決」を日韓両政府が「合意」したことは、米国のアジア回帰戦略が円滑に遂行されるための地ならしであった。つまるところ性暴力の被害者を置き去りにしてなされた同「合意」は、東アジアにおける軍事協力・同盟強化が歴史記憶の否認、抑圧のうえに成り立っていることを垣間見させるものであった。

　しかし韓国で「慰安婦合意」に対する広範囲で強力な抵抗が起き、また日本でも、あいちトリエンナーレにおいて「表現の不自由展・その後」で「平和の少女像」が展示され、そしてそれが公開中止に追い込まれてなお問題を提起し続けていることは、もはや再び隠蔽することが不可能なまでに歴史が可視化され続けているということである。それはつまり、韓国と日本の両方で現れたこの「平和の少女像」が、日本の植民地支配の歴史と米国の東アジア戦略を批判的に結びつけ文脈化していることである。そのためこの像を日本と韓国の関係だけで見るのは不十分である。

米国の軍事戦略に基づく沖縄、平澤、済州などでの基地問題は、日米、米韓、韓日を総体的に見なければならない。そのさい現在的観点からの被害の重なり合いだけでなく、歴史的出来事の何が否認されながら同盟関係が維持・強化されているのかを捉えていく必要がある。

もちろんそのような広い認識を求めることが、現在の戦争状態のような現場に対して何かしらの貢献を直接的になすことは難しいだろう。しかし辺野古新基地建設反対の座り込みに参加している、戦争体験者の次の証言は傾聴に値する。インタビュアーの「〔沖縄戦の際に〕死体もいっぱい見ましたか?」という質問に対し、その女性は、

見たよ。〔夜に〕みんなが寝てるから、そこで寝たら、あくる日起きたらみんな死んだ人〔だった。〕[*5]

と答えている。つまり戦争の記憶こそが、その女性をして座り込みに駆り立てているのである。

私たちが被害や歴史の重なり合いの認識を手にしながら自分のできる範囲で、あの現場、その現場に赴くことは、米軍基地が偏在する東アジアだからこそ逆説的に可能となる、歴史認識の深まりに基づいて平和を普遍化していくことに寄与するのではないだろうか。次の私の回では、沖縄で始まっている新たな歴史記憶の掘り起こしについて紹介したい。

（二〇一九年九月二七日）

【注】

＊1　以上、『ピョンテクの闘い』（撮影・編集：中井信介、製作：森の映画社、二〇一九年）より。

＊2　以上、ドキュメンタリー映画『SAVE HENOKO』（森の映画社、二〇一八年）より。

＊3　本稿では韓国の基地についての記述が多くなるが、現在の辺野古新基地問題に関しては次の文献を参考にしていただきたい。林博史『米軍基地の歴史――世界ネットワークの形成と展開』吉川弘文館、二〇一一年。前泊博盛『沖縄と米軍基地』角川新書、二〇一一年。宮城大蔵・渡辺豪『普天間・辺野古　歪められた二〇年』集英社新書、二〇一六年。

＊4　韓米相互防衛条約の日本語訳は、次のサイトを参照した。http://worldjpn.grips.ac.jp/documents/texts/docs/19531001.T1J.html

＊5　森の映画社『SAVE HENOKO』より。

【参考文献】

二〇一六沖縄韓国平和交流実行委員会主催、第九回『東アジア米軍基地　環境・平和　国際シンポジウム』（二〇一六年）シンポジウム資料

第一〇回東アジア米軍基地 環境・平和シンポジウム実行委員会主催、第一〇回『東アジア米軍基地 環境・平和 国際シンポジウム』（二〇一七年）シンポジウム資料
基地平和ネットワーク、韓国沖縄民衆連帯主催、第一一回『東アジア米軍基地問題解決のための国際シンポジウム』（二〇一八年）シンポジウム資料
※これらの第九〜一一回のシンポジウム資料は金善宇氏から提供していただいた。記して感謝する。またこの資料は沖縄、神奈川、京都、平澤、済州などの基地問題の現状を知るうえで非常に有益である。
新崎盛暉『沖縄同時代史（第8巻）1997.7〜1998 政治を民衆の手に 問われる日本の針路』凱風社、一九九九年
鵜飼哲「戦争の克服」『主権のかなたで』岩波書店、二〇〇八年
データベース「世界と日本」（韓米相互防衛条約の日本語訳文を参照した）、http://worldjpn.grips.ac.jp/documents/texts/docs/19531001.T1J.html（最終閲覧二〇一九年九月一八日）
森の映画社（撮影・編集：中井信介）『ピョンテクの闘い』、二〇一九年（非売品）
森の映画社『SAVE HENOKO』、二〇一八年
평택평화센터のウェブサイト、http://www.peacept.org/（最終閲覧二〇一九年九月一〇日）

Ⅱ―2　韓国の「フェミニズム・リブート」その後
――日常のジェンダー暴力を可視化すること

趙慶喜

1　ある女性アイドルの死

二〇一九年一〇月一四日、曺国(チョグク)の法務部長官辞任のニュースが世間を賑わしていた同じ時間に、ある女性アイドルが自ら死を選んだという衝撃的な知らせが入った。選んだという言い方は適切ではない。追い込まれたと言うべきである。Ｋｐｏｐアイドルであり女優としても活躍したソルリは、彼女が属したグループに詳しくない人でも日頃から聞いたことはあるほど名の知れた存在であった。その理由の一つは、彼女がＳＮＳなどを通して自由奔放なありのままの姿を発信し、たびたびゴシップの話題にのぼっていたからであった。

本名・崔眞理（チェジンリ）。その名を実践するかのように、彼女は20代の若い女性たちのリアルな生き方を痛々しいほどに体現していた。子役時代から芸能界に身を置いた彼女は、ある時期から女性アイドルの枠にはまった生き方を拒み、世間の視線をあざ笑うかのようにアーティスティックで挑発的な言動をたびたび見せるようになった。多くの人々はその様子を好き勝手に批評し、またひどく中傷した。オープンな恋愛をし、自然体で過ごす彼女の姿は、常に「性的に乱れた」ものとして歪曲された。世間の悪意に対し、堂々と偽りのない姿で立ち向かうかのように見えた彼女でも、やはり悪質な書き込みに身も心も壊れていった。

ソルリの自死については、彼女が属した大手芸能プロダクションの保護体制の問題、女性芸能人のプライバシーを扇情的に書き立てるメディアの体質、またネットの匿名性による倫理の欠如など多くの複合的な問題点を指摘できる。ここで特に考えたいのは、この残酷な出来事が彼女の「特異なキャラクター」によるものではなく、韓国社会のミソジニーの現実を多分に反映しているということである。過剰なまでの中傷と侮辱、そして性的対象化の視線は、芸能人である以上に女性であることからくる日常的暴力であった。そして、それらを拒否する彼女の果敢な生き方は、フェミニズムに直感的に呼応する多くの若い女性たちの姿でもあった。

正直にいえば、私もまた彼女を「変わった子」と見なし、勇敢さよりも危うさを感じ取っていた一人であった。そして彼女を死に追い込んだ暴力的な状況を、曹国（チョグク）をめぐる混乱に比べて「取るに足らない」ものと見なす風潮は今でも多く見られる。ソルリの話からこの記事を書き始めたのは、これまでの彼女の生き方をフェミニズム・リブート[*1]と称される韓国女性たちの新たな動きとともに考えてみるためである。

2　ミソジニーの（再）発見[*2]

日本でヘイト・スピーチと呼ばれる現象は、韓国では「嫌悪表現」や「嫌悪発言」という言葉で表されている。ヘイトは新自由主義時代のグローバルな現象であるが、それが単発的な行為ではなく、歴史的に蓄積されてきた言語的慣習に依存し、それを引用・反復する行為であるとするならば[*3]、その主なターゲットや表出の強度が各社会によって異なるのは当然のことである。ヘイトそのものは原初的な感情であるとしても、それは特定の歴史的文脈のなかで特定の集団に拡張され、位階化され、憎悪として正当化される。

たとえば日本ではヘイト・スピーチが主に「嫌韓」や「在日特権」などコリアンに対して表面化したのに対し、韓国におけるヘイトは「女性嫌悪」というかたちでまず表面化した。つまりヘイト現象は、日本では植民地主義やレイシズムの問題に特化したのに対し、韓国ではジェンダー・セクシュアリティ問題として噴出したと、ひとまず言うことができる（もちろんこのことは日本における女性ヘイトや韓国における移民ヘイトの不在を意味するわけでは決してない）。この韓国における女性嫌悪（ここではミソジニーと述べる）現象について、まずは大まかな流れを振り返っておかねばならない。

韓国でミソジニーが大きな争点として浮上しはじめたのは二〇一五年頃であると言われている。それ以前から身勝手で贅沢好きな女性を「キムチ女」と揶揄することは日常的に起きていたし、芸能人による女性蔑視発言もたびたび問題となっていたが、二〇一五－一六年は転換期と言うべきほど実にさまざまな出来事が起きた。二〇一五年初頭、ツイッターに「今は男が差別される時代だ。私はフェミニズムが嫌だ」と書き残した一〇代の少年がＩＳに志願した。この事態に対し、著名な男性コラムニストは、現代のフェミニズムが公正さではなく集団的利益のみを追求する「モンスター」を生み出しているとして、「ＩＳよりも無脳児的フェミニズムがもっと危険だ」と書いた。もちろんこのコラムは多くの非難にさらされたが、少年に忌まわしい選択をさせたという点でフェミニズムがひとつの社会的脅威として認識される端緒となった。

二〇一五年八月には男性誌『MAXIM KOREA』が、性犯罪を連想させる写真を表紙に載せ物議をかもした。テープで両足首を縛られた女性の足だけが車のトランクから見える写真の横には、「THE REAL BAD GUYという文字とともに、「悪い男が好きだって?本当の悪い男とはまさにこういうやつだ。たまらないだろう?」といった陳腐極まりない内容を載せた。また、若い世代の不安定な状況をユーモラスに歌う若手バンドも、ミソジニー論争の標的となった。「平凡で情けない男」の日常を嘆く歌詞に、隠し撮りされたアダルトビデオに元彼女を発見するといった内容があったためである。彼らが左派政党である正義党の応援ソングを担当していたことから、貧困や労働問題に取り組む正義党のジェンダー観も批判の的となった。それ以外にも大衆メディアを通じて再生産された妄想と錯覚に満ちたミソジニーのファンタジーは、女性たちによって再発見され、告発の対象となっていった。

　こうしたなかでミソジニーが公論化する決定的な出来事となったのは、二〇一六年五月一七日に江南で起きた殺人事件であった。二〇代前半の女性が江南駅付近の公衆トイレで見知らぬ男性によって無残に殺された。統合失調症を抱えていた犯人は、犯行の動機について「日頃から女性に見下されていた」と語った。五名のプロファイラーによる心理分析を踏まえて、警察はこの事件を「妄想的態度、表面的な犯行動機の不在、被害者との関係から直接的な触発要因のない典型的な通り魔犯罪であり、そのなかでも精神疾患と統合失調症の類型に該当するもの」と発表した。

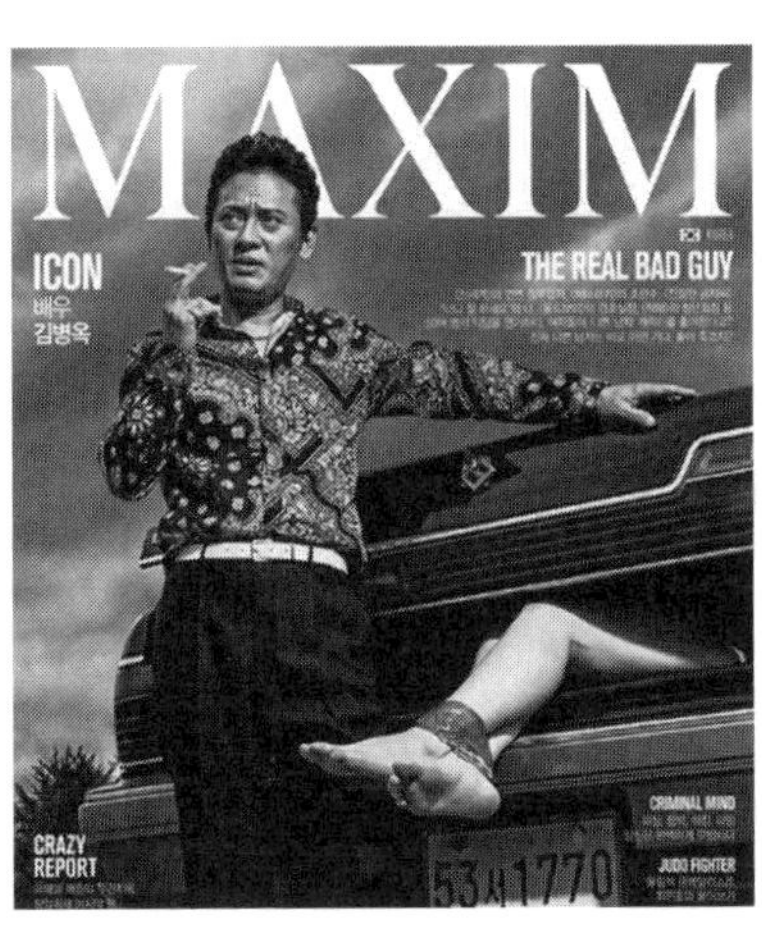

問題となった「MAXIM KOREA」の表紙

　これに対して女性たちは、一時間半の間に出入りした六名の男性ではなく、女性がトイレに入るのを待ち構えての犯行であったことを挙げ、女性に対するヘイトクライムであると主張した。さらに、現場が人通りの最も多い江南駅であったこともあり、SNSに「#たまたま生き残った」というハッシュタグを付け、江南駅一〇番出口付近に哀悼場所を設け、カラフルな付箋に思い思いのメッセージを書き残した。

「あなたは運が悪く、私は運が良かっただけというこの現実に憤怒する」「死の理由などない。ただ殺せるから殺したのでしょう。それが私だったかも」「「殺さないで。強姦しないで。セクハラしないで」と言うのがなぜ男性へイトになるのか」「男たちはここでも女に教えようとする」「男性に保護されたくありません。男性がいなくても安全でありたいだけ」など一〇〇〇件以上のメッセージが寄せられた。[*4]

この江南駅殺人事件への反応が、韓国のミソジニーを爆発的に公論化させた分岐点となったのは間違いない。というのも、この事件は自らの命の危険を肌で感じた若い女性たちによる異議申し立てだけでなく、それに対する男性たちのバックラッシュもまた引き起こしたからである。一部の、あるいは多くの男性たちは、この事件が精神分裂症を抱えたサイコパスによる殺人事件にすぎず、ミソジニーとは無関係であることを主張した。また、男性たちを潜在的犯罪者であるかのごとく扱うことで、女性たち自身が男性へイトを強化していると反発した。「男であるために死んだ天安沈没事件の勇者たちを忘れません」と書いた花環を送ったイルベ[*5]のメンバーだけでなく、多くの男性たちが女性たちの「被害妄想」と「過剰反応」を語り、同じように江南駅の現場に立った。

この過程で明らかになったのは、単にミソジニーによる殺人が行なわれたという客観的事実ではない。女性たちがあらわにした事件への怒りと恐怖、被害者への哀悼に対する過剰な否定、つまり殺人の原因を個人の精神状態に閉じ込めようとする防御反応が、タブー視されてきた社会的現実をいみじくも露呈させたと見るべきである。つまりバックラッシュの動きが、逆にミソジニーの強力な現実を見事に証明してしまったのだ。

3　メガリア、そしてミラーリング

同じ時期、女性たちの抵抗がとてつもない強度とともに始まっていた。それは批判や告発といったこれまでのフェミニズムのあり方を塗り替える、新たなかたちで展開された。二〇一五年から二〇一六年にかけて「メガリア」と呼ばれる現象が韓国社会で大きな話題となった。メガリアとは、ミソジニーに反対するフェミニストたちによるサイト「MERSギャラリー」の会員たちが、ノルウェイの小説『イガリアの娘たち』(一九七七年)にちなんで作った新しいサイトである。[*6] 彼女たちは、自らを「メガリアン」と名乗り、男性の価値観に沿った女性像を「コルセット」と呼び、そこからの解放を呼びかけた。ヘイトに反対するという消極的な立場にとどまらず、女性へヘイトをヘイトするというミラーリング戦略をとった。

たとえば、二〇〇〇年代以後「キムチ女」をはじめ女性に烙印を押す呼び名が数え切れないほど登場したのに対抗し、メガリアンたちは男性たちを「韓男虫」といった呼び名で嘲笑しはじめた。男性たちによる日常的なポルノグラフィも、そっくりそのまま女性たちによって転覆された。男性が胸の小さい女性を嘲笑するのと同じように、ペニスの小さい男性を嘲笑して笑いを誘った。

このことは単なる男性に対する女性の抵抗という二項対立に収まらない破壊力を持った。男性にのみ許されている快楽的言語がポルノグラフィックであればあるほど、女性によるその転覆性は想像以上に高まるほかない。逆にいえば、人々が驚愕し不快になればなるほど、その原本である男性自身の暴力と嫌悪の強度が証明された。当初多くの人々はメガリアンが女性ではなく偽装男性であると考えた。それは、女性が男性よりも汚い言葉で相手を罵れるはずがないと信じたからであった。

メガリアの活動はオンライン上だけに限定したものではなかった。もっとも大きな成果に、アダルトサイト「ソラネット」の閉鎖運動があった。メガリアンたちは盗撮根絶キャンペーンを始め、一九九九年から一七年間ものあいだ難なく運営を続け一〇〇万人の会員を有した「ソラネット」を閉鎖するための請願運動を始めた。ソラネットは盗撮、レイプ、リベンジポルノ、援助交際、集団性行為などのコンテンツを載せるだけでなく、それらを謀議するための情報を交換するサイトであったが、メガリアンたちは国会議員と連携し、その違法性と被害を警察に訴え、サイトを閉鎖に持ち込んだ。こうしたことは既存の女性団体がなし得なかったことであった。

メガリアのミラーリング戦略は、ユーモアやパロディとしても大衆的な波及力を持った。芸能人の仮想結婚生活を見せるリアリティ番組では、女性芸人の金スクがミラーリングを適切に活用し、「男はおとなしく家で家事でもしてほしい」「男のくせに声が大きい」といった典型的な家父長言葉を逆転させる「家母長」キャラクターを演じた。金スクは、二〇一五年に公開された映画〈マッドマックス〉（Mad Max：Fury Road）の女性主人公の名前にちなんで「フェリオスク」と呼ばれ、女性たちから爆発的な人気を得た。

メガリアによる盗撮根絶キャンペーンのイメージの一部

メガリアに対しては男性ヘイトに該当するとして、女性版イルベといった見方も多く提出された。進歩派の男性やフェミニストのあいだでもヘイトの無限連鎖を憂慮する声が少なくなかった。彼らはミラーリングによるヘイトの連鎖ではなく、合理的で冷静な討論によって初めて女性たちは真の抵抗の主体になりうると考えた。もちろん、メガリアがオンライン・コミュニティである以上、あらゆる暴力的な言葉が飛び交うカオス的空間が演出されたことは間違いない。ヘイト表現がストレス解消や人々の関心を惹くために活用されたことも否定できない。

しかしミラーリングの戦略は、単にすでにあるもののコピーにとどまるわけではない。ミラーリングは原本がいかに差別と嫌悪にまみれたものであるのかを反射を通して知らしめる戦略であった。何よりもメガリアによるミラーリング（風刺、嘲笑、パロディ）は実際の暴力を伴うことのない言語のパフォーマティビティにとどまるものである。[*7] 男性たちのミソジニーと実際の暴力の高い相関関係が注目されるのに対し、女性たちのミラーリングは現実生活のなかで男性に脅威を与えたり実際の暴力を稼働させるのが不可能なばかりでなく、むしろメガリアンであることが判明した場合の報復に怯える可能性がより高くなる。

こうした意味でもメガリアのミラーリングを、女性ヘイトと対称的な男性ヘイトと見なすのは一面的である。女性たちにとってミラーリングの過程は、男性の視線によって対象化されてきた自らの位置と向き合う苦痛の経験でもあり、また興味深い学びの経験を伴うものであった。メガリアンたちは「誰かを憎むのは面白かった」「メガリアで嫌悪の感情が何かを初めて理解した」「嫌悪は戯れの感情だった。男性たちが楽しみながら女性嫌悪をする理由がわかった」といった反応を見せている。[*8]

メガリアを注意深く見守っていた多くの若いフェミニストたちは、「メガリアは男性ヘイトではない」あるいは「韓国で男性ヘイトは不可能である」との見解を示した。彼女たちが問題にしたのは、女性たちがたどり着いた複雑で至難な経路を読み取ることなく、それを「男性ヘイト」と名付けることの「思考の怠慢」であった。つまり、メガリアが達成した地平を同等な男女間対立のフレームに落とし込む思考の安易さに対して、女性たちは執拗にノーを突きつけたのである。

4　#MeToo運動、そして日常の暴力の告発へ

二〇一八年に入り女性たちの抵抗はさらに爆発的な#MeToo運動へと発展していった。女性検事による男性上司に対するセクハラの告発から始まった韓国の#MeTooは、その後またたく間に政治・芸術・スポーツ・芸能・学問といったあらゆる分野へ拡がり、韓国社会に蓄積されてきた醜悪なまでの性暴力とミソジニーの実態を明るみにした。告発があるたびに、「ジェンダー問題ではなく上下の権力関係の問題」「性暴力ではなく不倫」といった見解が執拗に見られたが、#MeToo運動の勢いはそれを許さなかった。

とりわけ次期大統領候補とも言われた元忠清南道知事・安熙正（アンヒジョン）による女性秘書への性暴力事件は市民社会に多くの衝撃をもたらした。これまで魅力ともされていた彼のヒロイックな振る舞いや男性的な言葉遣いなども、ジェンダー暴力として再定義されていった。ほかにも詩人の高銀（コウン）や演劇人の李潤澤（イユンテク）など、進歩派の知識人や文化人が#MeTooのターゲットになったのはある意味当然のことであった。たとえ保守勢力のミソジニーがより強力であったとしても、フェミニストたちはそもそも彼らと近しい関係を結ぶことがない。保守勢力に対する進歩勢力の道

徳的優位性がジェンダーについてはまるで当てはまらないことこそが、女性たちにとってより重要なことであった。

その後火種は、中高生たちのスクール#MeToo、隠しカメラによる盗撮、リベンジポルノ、デート暴力といったより広範囲で日常的な性被害の告発へとつながっていった。こうした取り組みは、とりわけ一〇-二〇代の若者たちのジェンダー観に多くの変化をもたらしており、近年では一〇-二〇代男性たちによるバックラッシュが大きな争点となりつつある。たとえば大統領直属の政策企画委員会が発表した「二〇代男性支持率の下落要因に関する分析および方案」という報告書は、二〇代男性の支持率が政権就任後に比べほぼ半分（四一％）に減少した原因として文在寅政権のフェミニズムに親和的な姿勢への反発を挙げ、二〇代男性の相対的剥奪感に配慮した政策や言動を心がけることを提案している。支持率下落をフェミニズムのせいにする、汎世代的なミソジニーの現実を二〇代男性に特有のものとして把握するなど、この報告書は当初から多くの批判にさらされた。果たして政権支持を左右する要因はジェンダー問題にあるのだろうか。正義と大義を語る民主化世代もまた、不動産投資や特権的な子女教育による階層再生産に熱心であるという欺瞞こそが問題ではないのか。今回の曺国（チョグク）をめぐる事態の世代間の温度差は、こうした複雑な階層問題の一端を見せている。バックラッシュは確かに始まっているが、韓国社会に隅々に見られる軋轢や葛藤を過度にジェンダー問題に帰着させる必要はない。

数年間のフェミニズムの高まりのなかで、女性たち内部でもさまざまな葛藤を経て複数のフェミニズムが生じつつある。その一部は生物学的女性に固執した女性原理主義とも言うべき極端な方向へも進んだ。当然ながらその過程は一様ではない。ただ#MeToo運動は韓国社会に蓄積されてきたミソジニーや性暴力に対するかつてないほど決定的な介入であり、これこそが「ろうそくデモ」の最もラディカルな成果であったとも言える。これまで民主化という大文字の政治によって後回しにされ、むしろ大義のためには「取るに足らない犠牲」と思われていたジェンダーや世代の問題は、今後ますます新たな政治を生み出していくだろう。そしてそれこそが民主化や正義をより深めていくものと思われる。

最後に、これを読んでもし「日本はまだましだ」という思いがよぎるならば、それは全く当たっていない。韓国より比較的早い時期にバックラッシュを経験した日本で、ミソジニーはあまりにも日常化し見えなくなっている。韓国の状況を次のような問いに換えていく必要があるだろう。——日本で#MeToo運動に対する社会的な共感が広がらないのはなぜか? 日常の暴力を不可視化する力は何か?

フェミニズム・リブートの余波は決して韓国にとどまるものではない。

(二〇一九年一〇年二五日)

【注】

*1 評論家の孫ヒジョンが名付けたこの言葉は、多くの韓国女性たちによって共感とともに繰り返し使われている。손희정、『페미니즘 리부트』나무연필、2017.

*2 二～三節の内容は、趙慶喜「韓国における女性嫌悪と情動の政治」(『社会情報学』六巻三号、二〇一八)の一部を再構成したものである。

*3 Butler, Judith, Excitable Speech: A Politics of the Performative, Routledge.(竹村和子訳『触発する言葉――言語・権力・行為体』岩波書店、二〇〇四年)

*4 『京郷新聞』2016.5.23.

*5 イルベ(「日刊ベストストア」の略称)は、二〇一〇年にDCインサイドというコミュニティから派生して生まれた(DCインサイドは日本での2ちゃんねるに相当する)。イルベは当初はユーモアサイトであったが、徐々にネット右派によるフェイクニュースの発信地および交流の場として批判の的となった。

*6 二〇一五年五月以後、MERS(韓国ではメルスと呼ぶ)によって計一八六名の患者が発生し、そのうち三七名が死亡した。当初「MERSギャラリー」は純粋にMERSに関する情報交換サイトであったが、ふとしたことがきっかけで熱狂的な男女間の対立の場に変容した。性的アイデンティティやセクシュアリティの固定観念を覆すような女性たちの書き込みに対して、DCインサイドの管理人は今まで行なったことのなかった監視と弾圧を始めた。そこで自らをメガリアンと名乗る女性たちが、元サイトから分離し、新たなサイトで活動を始めたのである。

*7 류진희、「〝촛불 소녀〟에서 〝메갈리안〟까지、2000 년대 여성 혐오와 인종화를 둘러싸고」『SAI』19.2016.

*8 『京郷新聞』2017.07.12.

Ⅱ－3　「パレスチナの民族浄化」の完成形態としての「ユダヤ人の国民国家法」

早尾貴紀

はじめに

私が前回に論じた、ガザ地区に対するイスラエル軍による攻撃の激化に加えて、東エルサレムも含むパレスチナのヨルダン川西岸地区にも、あからさまな暴力が蔓延している。たとえば、治安や書類不備を理由とした家屋破壊、ユダヤ人入植地の建設およびユダヤ人入植者の増加、そしてその武装した入植者らによるパレスチナ人に対する暴行および主要農産物であるオリーブの伐採・放火、少年も含むパレスチナ人の令状なしの逮捕と裁判なしの長期拘置などだ。このたぐいの事件報道は毎日なされており、暴力が日常化していることを感じさせる。

一九六七年の第三次中東戦争以降、イスラエルが軍事占領下に置きつづけているガザ地区とヨルダン川西岸地区は、半世紀以上にわたってまさに法の適用されない「無法地帯」であり、そこに暮らすパレスチナ人の人権は守られてこなかった。つまり法外な暴力にさらされてきたわけだが、ガザ地区への封鎖と攻撃の激化に加えて、近年の西岸地区での露骨な暴力の増大と、それに反比例するようなイスラエル国内および国際社会からの批判の声の減少は、対照的であり相関関係にあるように見える。どんな暴力も公然と行なわれ、それが批判も受けず制止されないのであれば、それは占領の極限状態であり、完成形態だ。

この問題については、さらに二つの事柄を付け加えたい。第一には、軍事占領の起源は一九六七年ではなく、一九四八年のイスラエル建国そのもの、あるいはそれ以前からの建国を目指す入植活動と軍事活動の蓄積にあるということだ（いまの西岸地区への入植ではなくイスラエル建国前のパレスチナへの入植を指す）。つまり、イスラエルという国家は、その誕生以前の入植活動から一九四八年と一九六七年を挟みつつ、それ以降現在にいたるまで、絶えざる拡張過程にあるということだ。第二に、この近年の露骨な暴力の蔓延のさなか、イスラエルでは、建国七〇周年を迎えた二〇一八年に、論争的な「ユダヤ人の国民国家法」が制定されたことだ。イスラエルがユダヤ人国家であるという建国以来の自明の理念を追認した法律ではない。以下で詳細に分析していくように、起源の暴力とそこから継続する暴力とが完成形態に近づいていることを象徴する、法制定であるように思われる。

●パレスチナの歴史的変遷図

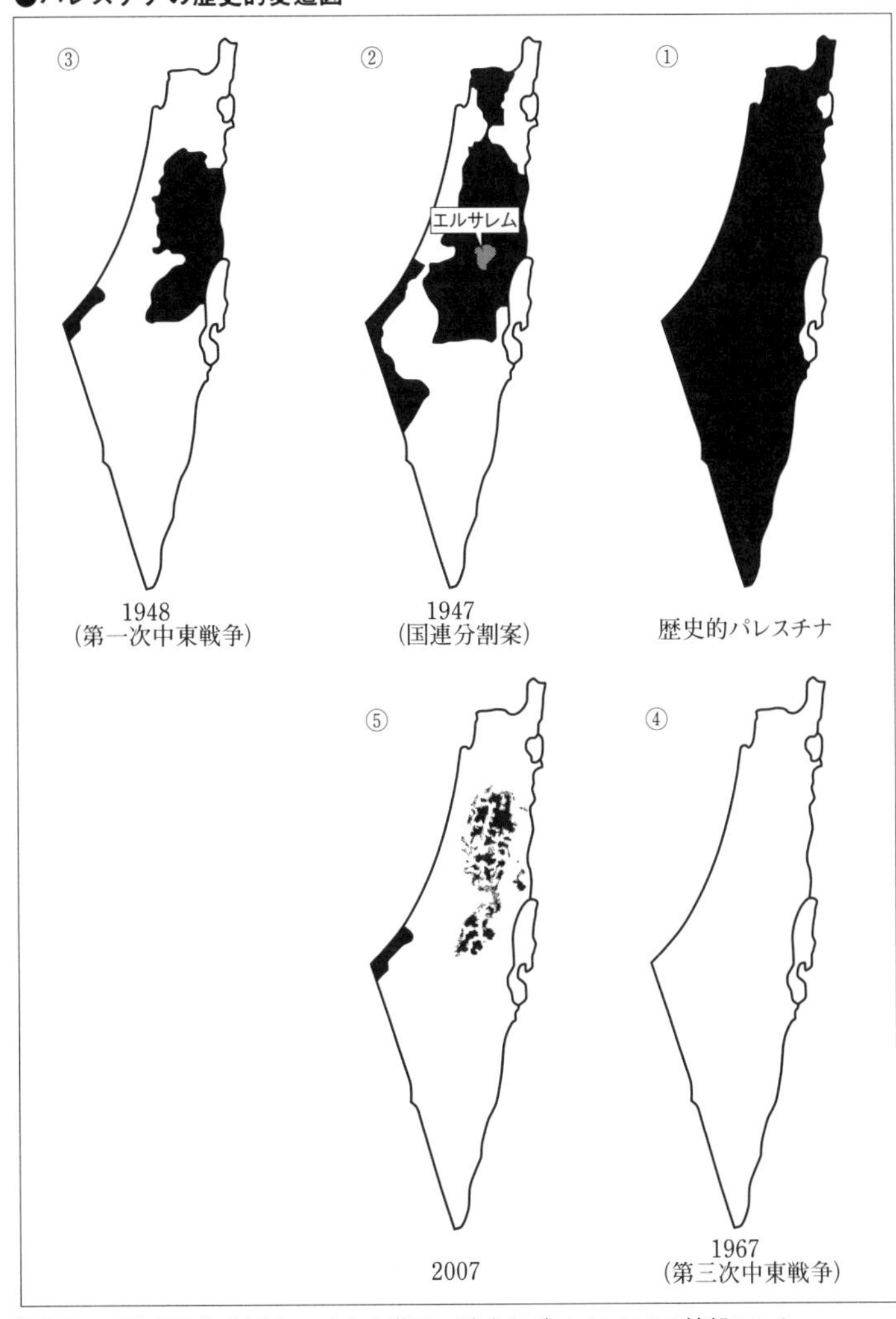

著作者：現代企画室『占領ノート』編集班／遠山なぎ／パレスチナ情報センター

1 「ユダヤ人の国民国家法」の制定

この「ユダヤ人の国民国家法」は、基本的には、イスラエルの地（エレッツ・イスラエル）が「ユダヤ人の歴史的郷土」であり、イスラエル国家が「ユダヤ人が民族自決権を行使するユダヤ人の国民国家」であることを定めている。だが、イスラエルがその建国以来「ユダヤ人国家」であることは自明のことかもしれない。だとすれば、この「ユダヤ人の国民国家法」の制定は何を今さらという感は否めないし、ユダヤ人国家であるという事実を事後的に追認しただけのものとも言いうる。

ところが、この法律には重大な争点がいくつか盛り込まれている。第一には、ヘブライ語と並んで従来「公用語」の地位を与えられていたアラビア語が公用語から外されて、唯一ヘブライ語のみが公用語となった。これは、総人口の約二割を占めつづけている先住アラブ人の民族的・文化的な権利を否定するものだ。成文憲法のないイスラエルにおいて、憲法の代わりとなる一九四八年の国家独立宣言においては、イスラエルを「ユダヤ人国家」と定めつつも、「アラブ人住民に対して完全かつ対等の市民権」を認めてもいた。今度の国民国家法は、ユダヤ人のヘブライ語のみを唯一の公用語としたうえに、アラブ人住民の言語的権利を否定することによって、この原則を覆したものと言える。

第二に、「ユダヤ人入植地発展」を民族的に重要なものと見なし、「入植地の拡大強化に努める」と定めた点である。軍事占領地へ占領国が恒久的な建造物を設置することや自国民を入植させることは国際法に違反しており、それゆえに世界中の国々が、西岸地区の一部をなす東エルサレムを併合した拡大エルサレムをイスラエルの首都とは認めず、大使館をテルアヴィヴに置きつづけてきた。しかしイスラエルは、エルサレムについては東エルサレムの「併合」を宣言し、東西統一エルサレムがイスラエルの首都であると主張してきた。

だが、東エルサレム以外のヨルダン川西岸地区の入植地については、正規の領土として併合したとは明言してこなかった。じわじわと既成事実を積み重ね、入植地を拡大し、分離壁や入植者専用ハイウェイでパレスチナ人の町や村を隔離し、入植地を事実上領土の延長線上に位置づけてきた。今回の法律は、とうとう基本法のなかで西岸地区を「国土」として位置づけるべく踏み出したと言える。

すなわちこの「ユダヤ人の国民国家法」は、「国民」と「国土」の定義をよりユダヤ人至上主義的なもの、反アラブ・パレスチナ的なものへと変更するものである、と言える。この「国民」と「国土」について、それぞれより詳細に見ていこう。

2　イスラエルにおいて「国民」とは誰か　①サマリア人の場合

ここまで書いてきた「ユダヤ人の国民国家法」の「国民国家」、英語でいうNation-Stateは、ヘブライ語では「メディナット・ハレオム」である。「メディナ」が「国家／State」、「レオム」が「国民／Nation」にあたる。それでは、イスラエル国籍を有するアラブ人たちは「国民」に含まれるのか、含まれないのか。国籍を有するという意味では、「イスラエル国民」であり、「イスラエル人」である。だが、通常イスラエル国内で使用される「レオム」概念は、「国民」の意味ではなく「民族的出自」を問うものだ。IDカードの「レオム」欄に記載されるのは、主に「ユダヤ人」「アラブ人」のほか、「ドルーズ派」「サマリア人」などのマイノリティの区分である。すなわち、英語で「ネイション」が「国民」と「民族」の両方を含みうる両義的な概念であるのと同様に、「レオム」もまた「国民」の意味で用いられたり「民族」の意味で用いられたりする。

ここでマイノリティの二つのレオムについて思い出すことがある。

「サマリア人」というのは、ヨルダン川西岸地区のナブルスにあるゲリジム山に暮らす人口数百人の宗教的コミュニティに暮らす人々のことで、聖書に記されたあの「善きサマリア人」の末裔たちとされる。ナブルスのアラブ・パレスチナ人社会の一部をなしつつ、独自のコミュニティを維持しており、イスラエル政府はこの聖書由来の人々をパレスチナから切り離してイスラエルに取り込むために、イスラエル国籍を付与しているのだ。聖書時代にイスラエルを結びつけて国家を正当化するのに、サマリア人は利用価値があるということでもある。

とはいえ、このサマリア人たちがイスラエル国民としての自己認識があるとか愛国心があるというわけではない。経済生活はナブルスの人々とともにしつつ、イスラエル国籍を有していることをビジネス上のメリットとして利用して仕事を開拓している。すなわち、イスラエル領との往復が自由にできるため、ナブルスとの間の商取引や運送業で活躍できるのだ。ナブルスのパレスチナ人たちも、このサマリア人たちをビジネス・パートナーとして介在させつつイスラエルと商取引をする機会を得ている。

実際私もこのサマリア人のイスラエル国籍に助けられたことがある。パレスチナ人の第二次インティファーダとそれに対するイスラエル軍の弾圧が真っ盛りの頃にエルサレムに在住し研究調査をしていたのだが、封鎖下の西岸地区で外出禁止令が長く続き、訪問先のナブルスからエルサレムに戻ることがしばらくできなくなっていた。そのとき、地元のパレスチナ人が知人のサマリア人の運転手を「白タク」として呼んでくれたのだ。このサマリア人を呼んだパレスチナ人は、しばしば運転手として商品を運ぶ仕事をサマリア人運転手に頼んできたという。チノパンにTシャツにサングラスというラフな格好で迎えに来てくれたサマリア人の男性は、とくだん宗教的に敬虔であるふうでもなく、見た目には一般のパレスチナ人と何も変わりはしなかったが、エルサレムまでいくつかあるイスラエル軍の軍事検問所では、ＩＤカードを見せるだけで簡単に通過していった。ナブルスのパレスチナ人たちが検問所を通過できないどころか、家から出ることさえ禁止されているときにだ。

しかしだからといって、ナブルスのパレスチナ人とサマリア人とのあいだの関係が悪くなったりはしなかった。サマリア人たちは動けないパレスチナ人たちの代わりに便宜が図れるし、そのことで仕事を得て収入を得ることができる。軍事封鎖下でもたくましく生き抜いていた。もちろん私も、外出禁止令下を運転してくれたサマリア人には割増のタクシー料金を払った。「善きサマリア人」の慈悲に無償ですがったわけではない。

3　イスラエルにおいて「国民」とは誰か　②ドルーズ派の場合

もう一つのマイノリティの「レオム」である、「ドルーズ派」についても触れておこう。ドルーズ派というのは、イスラームの一宗派で、スンナ派とシーア派に比べるとずっと少数であり、かつ、教義が密教的でかなり特殊であるために、「ドルーズ派」というより独自の「ドルーズ教」だと見る向きも一部にはある。地域的には、イスラエル北部のガリラヤ地方から、レバノンとシリアにかけて暮らしている。ドルーズ派だけの村もあるが、主流のスンナ派ムスリムやキリスト教徒と混住している村もある。

このドルーズ派で一九四八年以降イスラエル領に組み入れられた人々は、その特異な宗派コミュニティゆえに、他のアラブ人から切り離されて、徴兵が課されるようになった。すなわち、イスラエル国籍者であっても他のほとんどのスンナ派のアラブ人とキリスト教徒のアラブ人とが治安上の理由から徴兵から外されているのに対して、ドルーズ派のみを徴兵し、ヨルダン川西岸地区やガザ地区などの軍事作戦や検問に動員し、彼らの母語たるアラビア語も占領政策に利用してきたのだ。そのことによって、同時にアラブ人集団を分断することもできる。ドルーズ派の人々はイスラエル国民意識を強め、逆にその他のアラブ・パレスチナ人たちはドルーズ派を「裏切り者」として忌み嫌うようになる。アラブ人同士を反目させることができるのだ。

しかし、第二次インティファーダ期と重なる二年間のエルサレム在住時に私がフラットメイトとして一緒に過ごしたドルーズ派の友人は、固い意志で徴兵を拒否して投獄された経験を持ち、自らを「ムスリムのドルーズ派のアラブ人のパレスチナ人」であると任じていた。「みなドルーズは「半ユダヤ人」だとけなしたり、ドルーズ自身が「イスラエル人」と言ったりしてるけど、それは本当はパレスチナ人なんだっていうアイデンティティを否定させられているからだ」と彼は語った。彼が徴兵を拒否したのは、いわゆる良心的兵役拒否とは異なる（イスラエルにはそもそも良心的兵役拒否の制度がないが）。さらに彼はこうも言っていた、「自分はパレスチナ人だから、同じパレスチナ人に対して銃口を向けるようなことはできない。イスラエルによる民族分断政策、反パレスチナ政策を拒絶するために、徴兵を拒否した」と。そうして実際彼は、ときおり分離壁を乗り越えたりすり抜けたりして、西岸地区のパレスチナ人らと交流していた（その当時はまだ分離壁は仮置きだったりして完成しておらず、すり抜けたり乗り越えたりできるポイントを見つけることができた）。

このドルーズ派の友人がこういう思想と行動を持ちえたのには、実はパレスチナおよびアラブ世界で広く知られる「民族抵抗詩人」サミーハ・アル＝カーシム（一九三九－二〇一四）が父でありその影響を受けたという面はある。日本も含め世界的に有名な抵抗詩人にマフムード・ダルウィーシュ（一九四一－二〇〇八）がいるが、アル＝カーシムはそのダルウィーシュと幼馴染みであり、若い頃からともに詩人として、批評家として、イスラエル領に組み入れられたガリラヤ地方で雑誌を刊行し、集会を開催し、言論でもってイスラエルのアラブ人差別や軍事占領政策に反対してきた。二人ともイスラエルの治安警察によって何度も投獄され、雑誌は発禁処分に遭い、厳しくマークされた。結局ダルウィーシュは耐えられずに海外移住する道を選び（その後イスラエルが帰国を拒否）、結果として亡命状態となったことで海外での知名度を得ることとなった。そして一九九三年のオスロ和平合意後にパレスチナ自治区となったヨルダン川西岸地区に「帰還」することとなったが、厳密に言えばダルウィーシュの生まれ育った故郷は、イスラエル領北部のガリラヤ地方である。自身が痛感していたように、本当の意味での「帰還」ではなかった。

それに対して、弾圧を耐え忍びながらしぶとくイスラエル領下ガリラヤ地方に残りつづけたのが、サミーハ・アル＝カーシムであった。ドルーズ派としてイスラエルへの取り込み政策を拒絶し、一九六〇年に徴兵を拒否し、逮捕・投獄され、その後も自宅軟禁の憂き目に遭った。盟友ダルウィーシュがイスラエル／パレスチナを去ってからも、一人、国外追放の圧力に屈せずに、「異郷」となった故郷で生涯にわたって抵抗を続けた。その筋金入りの抵抗精神は、息子にしっかりと受け継がれていた。エルサレムで一緒に寝起きをしていたあいだ、その息子は毎月のようにガリラヤ地方の実家に帰省するごとに私を連れていってくれて、何度も父サミーハ・アル＝カーシムと引き合わせてくれた。そして私の目の前で、二人は親子で政治談義を重ね、時には激論が高じて喧嘩となりもした。なかにはダルウィーシュの詩や言動への評価をめぐる話題もあった。私のパレスチナ／イスラエル滞在中の最もかけがえのない時間だった。

徴兵のあるイスラエルのドルーズ派はほかのアラブ人と比べて「イスラエル国民」への統合度合いが高いのは確かだ。だが、この友人はそれを全力で拒絶して「自分はパレスチナ人だ」と公言したのだ。のみならず、ＩＤカードの「レオム」欄についても、同じアラブ人を分断する行政区分に抵抗し、交渉のあげく「ドルーズ派」記載を変更させ、単なる「アラブ人」として記載させていた。

4　イスラエルにおいて「国民」とは誰か　③「イスラエル人」は存在しない

このＩＤカードの「レオム」欄について、奇妙な裁判が一つある。あるユダヤ人のイスラエル国民がレオムの「ユダヤ人」記載を「イスラエル人」に変更するよう訴えたのだ。だが裁判所は二〇〇八年とその二〇一三年の控訴審の二度にわたって、その訴えを却下したのだ。訴えたユダヤ人は、イスラエルが「民主国家」である以上、民族別の登録は不当であり、「レオム」は「国民」として「イスラエル人」であるか、それ以外つまり外国のどこかであるべきだ、と求めていた。外国籍者でイスラエルの永住権・市民権を得ている場合に記載されるレオムは通常はその出身国であるからだ。その場合のレオムは、「民族性」ではなく事実上「国籍」を意味している。そうであるならば、「イスラエル国籍者」のレオムもまた「イスラエル人」であるべきだ、という論理で一貫させることは妥当であるように思われる。

しかしイスラエルの裁判所は、政府が従来からこの「レオム」欄に求めてきた「ユダヤ人」か「非ユダヤ人」かの弁別機能を重視した。もし「イスラエル人」というレオムが存在してしまえば、この弁別機能が無化されてしまうため、政治的判断としてそれを否定するしかなかったのである。結局のところイスラエルが「国民国家」であるという場合、事実上それは「ユダヤ人国家」という意味での「民族国家」なのだということであり、ユダヤ人だけを唯一正当な

「国民」として優遇するということなのであった。

今回の「ユダヤ人の国民国家法」は、一定の論争や訴訟のあったこの問題に対して、法案を提出した政府および議決した国会が最終的に法律によって決着をつけた、ということでもあるのだ。イスラエルはユダヤ人「だけ」の国家であるべきなのだ、と。それにしても、イスラエルにはカテゴリー上「イスラエル人」が存在しないということには驚く。

5 イスラエルの「国土」とはどの範囲なのか ①建国期およびゴラン高原

次に「国土」についてだ。

実のところイスラエルという国家は、「国境」すなわち「国土」の範囲が確定していない。それは、たとえば日本が北方領土、竹島／独島、尖閣諸島／釣魚台について領土紛争を抱えている、というのとは状況が異なる。この場合日本政府は、歴史的な正当性や国際法的な妥当性を訴えつつ（実際に正当性・妥当性があるかはさておき）、「この範囲が領土である」と主張している。しかしイスラエルは、その領土範囲がどこまでなのかを自ら明示していないのだ。

まず一九四七年に国連が決議したパレスチナ分割案の地図があり、それによると「ユダヤ人国家」が歴史的パレスチナの土地の範囲の五六パーセントを占め、「アラブ人国家」が四二パーセントを占めていた（エルサレムとベツレヘムは国際管理地）。その分割決議をユダヤ人側が受け入れてイスラエルを建国したが、それに対してアラブ人側が拒絶して第一次中東戦争となった、という俗説は、しかしながら歴史的には虚偽である。エルサレムを最重要獲得目標とし、エルサレムを含むパレスチナの大半を排他的に占有することを意図していたユダヤ人側がこの分割案で満足したことは一瞬たりともありえない。むしろ分割案を不十分とし、国連決議と同時に沿岸地域から内陸の高地に位置するエルサレムを目指して攻め入ったのだった。欧米から第二次世界大戦で使用されたばかりの最新の武器をふんだんに供与されたユダヤ人側がアラブ人側を武力で圧倒するのは自明であり、一九四八年の国家独立宣言を挟んで四九年に休戦するまでに、パレスチナの七七パーセントの土地を奪取していた。この七七パーセントの土地を示す境界線いわゆるグリーンラインは、しかしあくまで「休戦ライン」「軍事境界線」であって、「国境」ではない。イスラエルはこの土地でさえ満足したわけではないのだ。

一九六七年に第三次中東戦争に圧勝したイスラエルは、ヨルダン川西岸地区およびガザ地区、さらにシリアのゴラン高原とエジプトのシナイ半島までを軍事占領下に置いた。そのうちシナイ半島のみはエジプトとの講和によって返還したが、西岸地区、ガザ地区、ゴラン高原は現在にいたるまで占領下にあり、かつ、イスラエルは自国民のユダヤ人をこれらの地域に集団的に入植させてきた（狭隘かつ無資源のガザ地区からだけは二〇〇五年に入植地を撤去した）。

対シリアにおいてイスラエルは、戦略的重要性の高いゴラン高原について「併合」を一方的に宣言している。占領前に約一五万人いたシリア人住民のほとんどをすでに戦争時に追放しており、その後イスラエル国籍のユダヤ人の組織的入植を進め、現在では約五万人の人口の過半数を占めている。そして二〇一九年、イスラエルを支援するアメリカ合衆国がゴラン高原の主権はイスラエルにあることを承認し、国際社会に衝撃を与えた。ゴラン高原については、人口構成上「民族浄化」を進めているに等しく、そしてそれによって、事実上国境線を変更してしまったのだ。

6　イスラエルの「国土」とはどの範囲なのか　②ヨルダン川西岸地区

東エルサレムを含むヨルダン川西岸地区については、広大な土地に数多くのパレスチナ人が暮らしているために、またオスロ和平合意によってパレスチナ自治政府が建前としてあるために、ゴラン高原よりも事情が複雑ではある。しかし、問題の本質と基本的な構図は変わらない。一九六七年の軍事占領以降、イスラエル国籍のユダヤ人の入植を進めており、注意すべきは、一九九三年のオスロ和平合意が一切の歯止めになることなく、それ以降も一貫して入植活動が拡大推進されていることである。一九九三年時点で約二八万人だった全土の入植者数は、第二次インティファーダが始まった二〇〇〇年時点で約四〇万人まで増加し、オスロ体制が占領地返還とミニ・パレスチナ国家をイスラエルが許容したものではないということが明白となった。オスロ体制下でのわずか七年間で一二万人も入植者数が増加し、およそ一・五倍にもなったのだ。それに対するパレスチナ人の失望と反発が、二〇〇〇年からの第二次インティファーダという抵抗運動として発現するのだが、それもイスラエル軍によって徹底的に弾圧されて沈静化。インティファーダの最中およびその後もやはり入植の勢いは収まることなく、二〇一八年時点で入植者数は約六二万人に達している。一九九三年時点から見て二倍以上、二〇〇〇年時点から見てさらに一・五倍という規模だ。

ユダヤ人入植地の多くは、すでに「併合」を宣言された東エルサレムおよびそこに隣接する地域と、イスラエル領に隣接する地域に作られ、事実上エルサレムを拡大するように、またイスラエル領を地続きで西岸地区内部に拡張するように作られている。さらにそれらの入植地は分離壁で囲い込まれ、イスラエルの領土と一体化されてしまっているのだ。第二次インティファーダ以降に作られた分離壁が、イスラエルと西岸地区とを治安上の理由で分離するものではなく、実際には入植地をイスラエル側に取り込みグリーンライン（軍事休戦ライン）を無効化し、イスラエルの領土を拡張するためのものであることがわかる。もちろん各入植地には、ショッピングモールや学校や工場や農場が併設され、各入植地は入植者専用のハイウェイによって結ばれ、本格的な「ニュータウン」の様相を呈している。

二〇一八年、つまり一九四八年のイスラエル建国から七〇周年のときに、アメリカ合衆国はついに大使館をテルアヴィヴからエルサレムに移転させ、エルサレムをイスラエルの首都として承認し、アメリカの同盟諸国に対しても同様に大使館のエルサレムへの移転に同調するように求め始めた。イスラエルによる東エルサレム併合を事実上承認したのであった。さらに今年二〇一九年四月、イスラエルのネタニヤフ首相は総選挙に際して、西岸地区の入植地の「併合」の方針を公言し、二〇一九年一一月にはアメリカ合衆国の国務長官が、西岸入植地の併合を認める方針を打ち出した。すでに既成事実は積み重ねられている。確実にその方向に進むだろう。

この二年間に起きたのは、エルサレムの首都承認、ゴラン高原の主権承認、西岸地区の入植地併合、そしてその一連の出来事のさなかに「ユダヤ人の国民国家法」の成立であった。アメリカ合衆国の援助を全面的に受けて、イスラエルの領土拡張は歴史的な転換点あるいは到達点であるように見える。ついに、「パレスチナ全土」を「イスラエル領」とすることを現実的な視界に入れてきたのだ。

おわりに

こうして「ユダヤ人国家」建設の過程に伴う入植活動の歴史的展開と、「国民／民族」の定義の論争史を振り返ると、「国民国家法」は、建国運動としての入植運動の起源から内在している不可避の問題に対する最終解答であるように思われる。イスラエルの歴史家イラン・パペは、論争的な書物『パレスチナの民族浄化』で、イスラエル建国に伴うパレスチナ難民の発生を、戦時下の偶発的な悲劇としてではなく、組織的に計画された「民族浄化」政策の結果であることを実証した。それによると、すでに一九四〇年代半ばには、パレスチナの土地の八〇パーセントをユダヤ人国家として獲得すること、および、その国土に暮らす国民の八〇パーセントをユダヤ人が占めること、これを具体的に目標として定めていた。果たして建国後のイスラエルは、先にも見たように、一九四九年の休戦時点で、国連分割案をはるかに超える七七パーセントを獲得した。また人口は、一九四七年の分割決議時点でユダヤ人の人口がパレスチナ全土で三三パーセントであったのに対して、一九四九年の休戦時点までにパレスチナ人を大量に追放することによってユダヤ人の人口比が急上昇し、八二パーセントに達していた。果たして、パレスチナ全土の八〇パーセントの土地での建国と、全住民の八〇パーセントのユダヤ人という目標を、実際計画どおりに達成したのであった。土地を一気に奪取し、その土地の人口構成を一変させたこの出来事を、パペは、組織的・計画的な「民族浄化」だと呼んだ。

その民族浄化は、これまで見てきた入植政策の拡大とその領土化、ユダヤ人至上主義と反アラブ主義の深化によって、一九六七年を挟みさらに現在まで継続していると言えるだろう。パペの民族浄化論の優れているところは、イスラエル建国前の計画から現在までの入植政策までを一貫して説明できる点だ。パレスチナの乗っ取りはどんどん完成形態に近づきつつあるように見える。その暴力の完成を告げる象徴が「ユダヤ人の国民国家法」制定という出来事ではないだろうか。そのとき、まだパレスチナ人たちの、そしてそのなかのマイノリティ中のマイノリティであるサマリア人の、ドルーズ派の声が響く余地はあるだろうか。

（二〇一九年一二月三日）

【参考文献】

宇野昌樹『イスラーム・ドルーズ派』第三書館、一九九六年
奥山眞知「「国民国家」イスラエルのジレンマ」『社会イノベーション研究』第10巻第1号、二〇一五年
マフムード・ダルウィーシュ『壁に描く』四方田犬彦訳、書肆山田、二〇〇六年
ファドゥワ・トゥカン／サミーハ・アル＝カーシム『パレスチナ抵抗詩集（1）』土井大助訳、アラブ連盟駐日代表部、一九八一年
イラン・パペ『パレスチナの民族浄化――イスラエル建国の暴力』田浪亜央江、早尾貴紀訳、法政大学出版局、二〇一七年
早尾貴紀『ユダヤとイスラエルのあいだ――民族／国民のアポリア』青土社、二〇〇八年

第Ⅲ部　歴史認識と過去の清算

Ⅲ−1　沖縄戦時の朝鮮人の歴史を掘り起こす

呉世宗

1　写された墓標

ここに一葉の写真がある。

背景に海があり、さらにその向こうには、砲弾による煙が立ちのぼる小高い山が見える。沖縄の本部半島西に浮かぶ瀬底島である。写真の右には、ヘルメットをかぶった米兵らしき人物が写り込んでいる。しかし焦点が当てられているのは、その海や山を背景にした一四本の白い柱である。それらは、当時としてはしっかりとした木材を使用した、一メートルから二メートル近くの高さを持つ墓標である。その写真のキャプションには、「空襲で殺されたジャップの部隊（JAP TROOPS）」とある。

POSTS MARK GRAVES OF JAP TROOPS KILLED BY AIR RAIDS. IN BACKGROUND SMOKE RISES FROM U.S. NAVY SHELLING OF SESOKO ISLAND

OKINAWA

EXCEPT FOR JAPS, IT IS A VERY PLEASANT PLACE

J. R. Eyerman, “Photographic essay Okinawa,” *Life Magazine*, 18（22）, 5.28. 1945より

この墓標の写真は、一九四五年四月の米軍の沖縄本島上陸後に来沖したであろう従軍カメラマン、J・R・イヤーマンが本部(もとぶ)町健堅(けんけん)で撮影したものである。米軍やその関係者が写した膨大な写真の検討が、これからなされるべき沖縄戦研究の一つであることを示してもいよう。

しかし今回注目したいのは、その一つひとつの墓標に記された名前である。一人を除いてすべて「故陸軍々属〜之墓」とあるが、その中に「故陸軍々属明村長模之墓」（右から四つ目）、「故陸軍々属金山萬斗之墓」（右から二つ目）という墓標があるのがわかる。「明村長模」「金山萬斗」は、竹内康人作成の『戦時朝鮮人強制労働調査資料集』にも記載されている人物である。「明村」について竹内は、「明長模(ミョンチャンモ)」という名であったことまで明らかにしている。「金山」については、琉球新報記者であった李真熙が、韓国人の協力を得て遺族を探しだし、朝鮮人軍属「金萬斗(キムマントゥ)」であることを確認した。つまり、おそらくカメラは、沖縄に連行されていた朝鮮人軍属の名前を偶然収めていたのである。墓標に名を記された者たちは、一九四五年一月、本部町渡久地（とぐち）港に停泊していた折、米軍の空襲によって炎上座礁した日本軍輸送船彦山丸の乗組員であり、明長模、金萬斗もその一員であった。

昨年（二〇一九年）、ＮＰＯ法人「恨（ハン）之碑の会」の尽力のもと平和祈念公園内の平和の礎に「金萬斗」の名前が刻まれた。沖縄県は、平和の礎に名前を刻む条件として戦死したことを示す確たる証拠資料を求めており、それが彼の名を刻む際に若干ネックとなった。連行されてきた朝鮮人は軍人軍属であれば基本的に名簿はあるものの、生死の調査が行なわれていないため死亡認定がなされていない。そのため戦死の厳密な証明を求める沖縄県の方針が、逆説的に朝鮮人の名を刻むことを阻んでいたのである。しかし金萬斗（キムマントゥ）については、名簿に記された日本名、先に挙げた写真、そして遺族の話などから状況的に見て戦死したと判断され、名前が刻まれることとなった。確たる証拠が残されにくい朝鮮人の刻銘に関する画期的な一歩であった。

沖縄戦の朝鮮人については、一九六〇年代中盤以降、沖縄の人々の戦争体験が聴き取られるなか、はからずも語られることとなった。現在においても、ゆっくりではあるが着実に民間の調査が進められ研究が蓄積されている。しかし、朝鮮人が結局のところ何名連れてこられたのか、沖縄各地での具体的な状況はどうだったのかなどを明らかにする作業は残されている。今回調査・研究、そして遺骨発掘に関わる二人の人物に焦点を当て、沖縄戦時の朝鮮人について現在沖縄で進行していることを見ていきたい。

2　史資料と証言を組み合わせる

沖縄戦時に連行されてきた朝鮮人は、今現在も一万人ほどと言われている。この数字は平和祈念公園内の韓国人慰霊塔（一九七五年建立）の碑文にある、「この沖縄の地にも徴兵、徴用として動員された一万余名……」が根拠の一つとなっている。しかしながらこの「一万余名」それ自体、実のところ史料などの精査や調査によって明確に根拠付けられたものではない。

一九七二年五月に沖縄の施政権が日本に返還されてすぐ、朝鮮総連と日本人の合同調査団（第二次大戦時沖縄朝鮮人強制連行虐殺真相調査団）が沖縄戦で被害に遭った朝鮮人の調査を行なっている。この調査団が作成した報告書は当時の駐日韓国大使も高く評価したものであったが、その中に「数万」の朝鮮人が沖縄に強制連行されてきたと研究者が「推定」し、このたびの調査で六六〇〇名ほど連行されたことが「わかった」と記されていた。先ほどの韓国人慰霊塔の「一万余名」は、この漠然とした数字をもとにして刻まれたものだったである。

近年、朝鮮人被害者数の確定というかなり困難な問題に取り組んでいる在野の研究者がいる。沖本富貴子である。沖本は二〇一三年ごろ慶尚北道（キョンサンブクド）・英陽郡（ヨンヤングン）にある「恨之碑」を見に行っているが、彼女が驚いたのは、韓国の恨之碑には、沖縄・読谷村にあるそれとは異なって、沖縄戦の際に連行された朝鮮人の名前がずらっと刻銘されていたことであった。そのことがきっかけとなり、帰沖後沖本は、NPO法人「恨之碑の会」内に立ち上げられた朝鮮人「軍夫」研究会に加わり、研究をスタートさせた。

沖縄は凄惨な地上戦の場所となったことから、六〇年代より住民の側から戦争を捉え返そうという運動が起こり、戦争体験者の証言が多く集められている。証言は独自の生々しい印象を聴く者、読む者に与える。しかもこのとき多く集められた住民の証言は、軍主体の戦争の語りから住民主体のそれへと転換させたこともあって、高い価値が認められることとなった。しかし他方で証言というものは、たとえば語り手が繰り返し同じ証言をすることで本人も気づかないうちに内容が微妙に変化することがあるように、常に不安定さを抱えている。だからこそ証言は他の史料と照らしながら検証をする必要がある。

沖本の研究の進め方は、まさに軍の残した部隊状況などの史料と住民の証言を地道に突き合わせ、時期、場所、人数などの点での符合を明らかにするものである。そうすることで同時に彼女は史料と証言を検証し、沖縄戦時の朝鮮人の歴史の全体像および地域ごとの個別的状況も浮き上がらせている。つまり突き合せ作業により証言と史料を検証するとともに、証言だけだと見えない全体像を目に見えるようにし、そして史料だけでは想像しにくい、あるいは史料が捨象してしまう当時の個別的な状況を証言によって肉付けを行っていることになる。

沖本はそのような方法をもって朝鮮人の動員人数を多角的に検証し、加えて韓国の資料も使い複数の観点から検討することで、現在のところ三八〇〇名ほどが連行されてきたのを確認している。

史料と証言を突き合わせるというやり方は、方法として特段目新しいものではないかもしれない。しかしこのことは多くの証言が残され、現在も戦争体験の証言が記録され続けているからこそ可能となった沖縄独自の方法だとも言える。付け加えるならばこの方法は、全体像の中に含まれる個別的な状況を証言をもとにして具体的に描き出し、そうすることで描き出された個別的状況のなかであらためて各証言を解釈し直す可能性も開いている。このことは沖縄で続けられているもう一つの注目すべき試み、「遺骨発掘」においても当てはまる。というのもそれは骨を掘り起こすだけでなく、個別的状況の再構成をするという「証言」の役割を担いつつあるからである。

3　遺骨を発掘する

これまで四〇年近く戦争被害者の遺骨発掘を行なっているのが、「沖縄戦遺骨収集ボランティア「ガマフヤー」」代表・具志堅隆松である。

沖縄戦で亡くなった者の遺骨は、大田昌秀元沖縄県知事もその著書で学友の遺骨探しを行ったと記しているとおり、戦争終結直前・直後から友人や遺族によって探し求められている。見つけられた人もいれば、あまりの遺骨の多さにどれが探している者か見分けられなくなる人、少し時間が立って探しに行ったところ、草木が生い茂り探せなくなってしまった人など悲喜こもごもであった。遺骨が見つけられなかった者の中には、その場にあった石を持ち帰り自分を納得させた人もいたという。

他方、戦争が終わり暮らしていた地域に戻った人々は、生活を立て直すため農作業などに取り掛かるが、その際遺体や遺骨を片付けなければならない状況に直面する。耕そうにも遺体があり、耕したところで無数の骨が出てくるからである。生活の立て直しは、遺体や遺骨を処分することからしか始められなかったのである。

生活と遺体・遺骨がともにあったわけだが、時が進むにつれ徐々に生活風景が二分化してくることになる。建て直されていく生活風景と、埋もれ見えなくなっていく遺骨である。もちろんすべての遺骨が地中に埋まっていたわけではなく、頭蓋骨などは半分盛り上がることで存在感を示してはいた。しかし目の前に遺骨があったにもかかわらず、生活の再建が骨を覆い隠し、そのうち人々はあまり意識しなくなっていった。生活復興と経済開発のために重機でごっそりと遺骨を除去したことも、この二分化に追い打ちをかけた。個人の住宅やビルといった建物建築や道路などのインフラ整備のため、重機で土を骨ごとさらっていったのである。

具志堅隆松が幼少期から見ていたのは、そのように生活再建が骨を覆っていく風景であった。そのうち身内が来るから遺骨は動かしてはいけないと言われてもいた。彼が遺骨発掘に関わり始めたのは、「本土」からの遺骨収集団に応援を頼まれた二八歳、一九八二年からである。そ

頭蓋骨の一部を手にする具志堅隆松氏。写真はハンギョレ新聞日本語版2019年2月16日付「[ルポ]戦後74年、眠りにつけない沖縄の霊魂」より。http://japan.hani.co.kr/arti/international/ 32810.html

の後具志堅は現在に至るまで、自らの役割として、かけらのような骨を含めて丁寧に遺骨の発掘と収容を続けている。

地道な収容を続けるなか、具志堅は遺骨の見つかり方に違いがあることに気づく。「友軍」であったはずの日本兵の遺骨のほうが見つかりやすいのである。骨となった者の衣服は時間の経過とともに全て土中で失われてしまうが、しかし骨のすぐ近くに鉄兜や手榴弾、軍服のボタン、弾丸などがあることによって、それが兵士であったと推定することができる。そのように遺骨の発掘は周辺情報の復元にも関わり合っている。その発掘と復元から見えてくるのが、多くの兵士らが安全な壕の中に潜んでいたこと、その最中に米軍の攻撃により生き埋めとなったため骨がきれいに残るということだったのである。要するに「友軍」の骨が見つかりやすいのは、彼らが壕の中など比較的安全なところにいたからなのである。骨となってなお軍民の格差は残り続けている。

沖縄戦時、壕から追い出されたり敵陣への突撃を命じられたりした朝鮮人たちの骨は、さらに困難な状況に置かれている。発掘されるかけらのような骨の中には朝鮮人のものがあったはずであるが、それはこれまで間接的に想像されるしかないものであったからである。発掘された遺骨のなかには、その周辺の情報もふまえて判断するに、住民でも兵隊でもないと推測される骨もある。軍服についていたと思われるボタンはあるが軍靴はなく、また鉄兜や武器も所持していない、といった軍人と住民のあいだにあるような遺骨が見つかる場合がある。軍人でもなく、住民でもないといった消去の先に、かろうじて想像されるのが朝鮮人の存在なのである。「李～」と彫られた印鑑が遺骨のそばにあったこともあったが（おそらくは中国人か台湾人が持っていたもの）、あくまでもレアケースでしかない。ちなみに朝鮮人軍属が「星マーク」の付いた軍服を着ていたという証言もあり、彼らがどのような服装であったのかは今後調査をする必要がある。

しかしこの困難を乗り越えるべく、朝鮮人、沖縄の住民、兵士の骨を問わず、近年具志堅が取り組み始めているのが、遺族から提供されたＤＮＡと遺骨のそれのＤＮＡ型鑑定による身元特定である。実際日本政府は、シベリアなどに抑留され亡くなった日本人の遺骨を証言などをもとにして探し、大掛かりなＤＮＡ型鑑定を行なっている。しかしながら南方地方である沖縄では骨の劣化が速く、十分にＤＮＡの採取ができないという理由で行なわれていなかった。

しかし二〇〇九年に発掘された遺骨が偶然遺族とつながり、具志堅がＤＮＡ型鑑定を進めたところ見事に合致したのである。南洋においてもＤＮＡ採取が可能であることを自ら証明する出来事となった。その結果、国に対して鑑定依頼ができるようになり、沖縄県は遺骨の火葬を中止するに至った。なお現在沖縄県のウェブサイトには、「（お知らせ）戦没者遺骨のＤＮＡ鑑定の実施について」というページが作られ、鑑定申請ができるようになっている（https://www.pref.okinawa.jp/site/kodomo/hogoengo/engo/20170802 01.html）。

さらにＤＮＡ型鑑定のほかに「安定同位体比検査」も近年開発されており、具志堅はこれにも着目している。歯や骨を構成する元素の中に存在する安定同位体は、誕生時から一八歳になるまでの生育環境を反映して、その数が増減する。つまり骨や歯に含まれる各安定同位体の比率を検査することによって、遺骨の出身地までが特定できるようになるのである。この検査によって日本であれば何県出身であるかまでわかり、当然朝鮮半島出身かどうかの判別も可能となる。遺族のもとにまでではないにせよ、遺骨を朝鮮半島まで返すことができるのである。

「ＤＮＡ」にまつわる言説は誤解を招くおそれがあるものの、ＤＮＡ型鑑定および安定同位体比検査は、この骨が誰であったのかを浮上させ、これまで不可能であった遺骨の返還を、沖縄だけでなく、アジア地域にいる遺族に対しても道を拓くこととなったのである。

4　国境を越えて合流する調査研究と遺骨発掘

ここまで述べてきた、沖本による軍関係史料と証言の突き合わせによる事実の確定の試みと、具志堅が実践してきた遺骨の収容と科学的鑑定が二〇一九年に合流することとなった。本稿のはじめで紹介した、沖縄本島・本部町健堅に埋葬されているはずの彦山丸事件の被害者全員の遺骨を掘り出し、DNA型鑑定を施し、遺族へと返そうという運動団体が立ち上げられたからである。その立ち上げられた「沖縄県本部町健堅の遺骨を故郷に帰す会」の共同代表に、岡田弘隆のほか沖本と具志堅が就任している。

すでに述べたように軍徴用船彦山丸が炎上座礁した渡久地港は、朝鮮人軍属が配属された特設水上勤務第一〇四中隊の第二小隊が荷の陸揚、運搬作業をしていた場所である。部隊は渡久地港のすぐ近くの健堅に駐屯していた。沖本は、第一〇四中隊が一九四四年八月に那覇に上陸して以降の移動経路を陣中日誌などをもとに追いかけ、渡久地港、健堅の近くで暮らしていた住民の証言をもとに朝鮮人の置かれていた状況を具体的に明らかにしている。さらに沖本は、彦山丸の当日の状況も『「独立混成第四四旅団南西空襲戦闘詳報」「1・22南西空襲戦闘詳報」』（一九四五年一月四四旅団司令部作成）から詳らかにしている。それによれば彦山丸は、渡久地港から嘉手納に海上輸送する予定であったところ、朝七時に米軍機の空襲を受け炎上した。米軍機は船から飛び降りた者までも執拗な攻撃を行なったため被害者が多く出たと推測されるが、しかし何名亡くなったか確認できないまま一四名が健堅に埋葬されたのである。埋葬に関しても証言が得られている。ある住民が当時軍に命じられて薪を集め、遺体を燃やし、畑に骨を埋めたと証言しているのである。

「沖縄県本部町健堅の遺骨を故郷に帰す会」が行なおうとしていることは、集められた証言をもとに骨が埋められた場所を確定すること、そこを掘り起こし遺骨を探し出すこと、そして科学的検査を行ない朝鮮人被害者を故郷に帰すことである。最初の掘り起こしは、二〇一九年一一月に行なわれた。最初の作業で遺骨は見つからなかったものの、ここにおいて沖本の研究と具志堅が培った発掘の経験が合流し、それだけでなく韓国と台湾の運動団体も加わったことで、作業は国境を越えて行なわれ始めている。

彦山丸の乗員14名の墓標があった場所の現在（写真：沖本富貴子氏提供）。

骨を探し出すという行為は、沖縄戦の被害の大きさに比べると小さい試みではある。また健堅に埋葬された遺骨は、現場から遺体を移動させたうえで焼いたものであることから、発掘されたとしても亡くなった直後の状況を復元することはできない（埋葬時の状況については考古学者も加わって再現を試みる予定となっている）。とはいえこの事業は、沖縄のどの場所においてであれ遺骨が見つかるたびに、あるいは遺骨があるだろうという見立てのもと発掘が行なわれるたびになされるべきことを指示する、いわばモデルとなるケースである。加えて韓国、台湾の団体も加わっての事業展開は、沖縄戦を沖縄の外に開き、戦争の記憶を国境を超えて共有するものである。

沖縄戦時の朝鮮人については調査がなくはないものの、まだまだ課題として残されていると言ってよい。時に忘れられがちな課題でもある。だが健堅で始まった朝鮮人の遺骨発掘は、沖本富貴子や具志堅隆松によって積み重ねられた研究や発掘に基づいて取り組まれており、過去の歴史を掘り返すことによって、沖縄にとっては異質な人々の記憶を国境を超えて共有する可能性を秘めている。歴史の継承が国際的な視野からの平和問題につなげられようとしているところに、沖縄から発信される平和運動の新たな意義もあるだろう。次回は沖縄戦の歴史が東アジアで共有され始めていることを文学者の活動に焦点を当てて見ていきたい。

※本稿を書くにあたり沖本富貴子さんと具志堅隆松さんにインタビューを行ないました。インタビューを受けてくださったこと、丁寧にお応えくださったことに感謝いたします。また沖本さんからは写真、史料、情報を提供していただきました。記して感謝いたします。

（二〇二〇年一月一六日）

【参考文献・ウェブサイト】

呉世宗『沖縄と朝鮮のはざまで——朝鮮人の〈可視化／不可視化〉をめぐる歴史と語り』明石書店、二〇一九年

沖縄県本部町健堅の遺骨を故郷に帰す会『資料集「沖縄県本部町健堅の遺骨を故郷に帰す会」発足と記念講演会』（二〇一九年七月二七日（土）開催の発足式で配布された資料）

沖本富貴子「沖縄戦に動員された朝鮮人に関する一考察——特設水上勤務隊を中心に」『地域研究』no.20、

二〇一七年一二月
沖本富貴子「沖縄戦の朝鮮人――数値の検証」『地域研究』no.21、二〇一八年四月
具志堅隆松『ぼくが遺骨を掘る人「ガマフヤー」になったわけ――サトウキビの島は戦場だった』合同出版、二〇一二年
第二次大戦時沖縄朝鮮人強制連行虐殺真相調査団編『第二次大戦時沖縄朝鮮人強制連行虐殺真相調査団報告書』第二次大戦時沖縄朝鮮人強制連行虐殺真相調査団、一九七二年
竹内康人『戦時朝鮮人強制労働調査資料集　増補改訂版――連行先一覧・全国地図・死亡者名簿』神戸学生青年センター出版部、二〇一五年
J. R. Eyerman, "Photographic essay Okinawa," *Life Magazine*, 18 (22), 5.28.1945
沖縄県のウェブサイト内「(お知らせ) 戦没者遺骨のDNA鑑定の実施について」https://www.pref.okinawa.jp/site/kodomo/hogoengo/engo/2017080201.html
「[ルポ] 戦後74年、眠りにつけない沖縄の霊魂」ハンギョレ新聞日本語版二〇一九年二月一六日(二月一七日修正) http://japan.hani.co.kr/arti/international/32810.html

Ⅲ－2　否定の時代にいかに歴史の声を聴くか
――「反日種族主義」と韓国／日本

趙慶喜

1　「反日種族主義」現象を批判する

二〇一九年夏に刊行された『反日種族主義』は、韓国と日本で多くの反応を呼び起こした。日韓関係の亀裂が表面化したのとほぼ同時期に刊行されたこの本は、韓国で数人の政治家たちが拒否反応を示したことで一気に注目を浴び、たちまちベストセラーとなった。「韓国の嘘つき文化は国際的に広く知れ渡っています」という文章から始まるこの本は、あえて要約するならば、日本帝国主義による性奴隷制や強制動員、民族差別はすべて虚構であり、これらの嘘が信じられてきたのは韓国のシャーマニズム的な反日種族主義のせいだったという内容である。

代表著者の李栄薫（イヨンフン）は元ソウル大学教授の経済史研究者であり、これまでも朝鮮総督府の土地調査事業の研究を通じて植民地近代化論（植民地支配によるインフラの導入や開発が韓国の経済成長の基盤となったという議論）を展開したり、テレビ討論で日本軍「慰安婦」を「公娼売春婦」と述べるなど物議をかもしてきた人物である。現在は右派シンクタンクとも言える落星台経済研究所の理事長、私塾「李承晩学堂」の校長などを歴任している。韓国では刊行直後から批判記事が大量に書かれただけでなく、すでに批判本も数冊出ている。騒動は一旦収まったように見えるが、現象としての「反日種族主義」は現在も進行中である。

韓国でいわゆるニューライトによる本がベストセラーになること自体は特に目新しいことではない。二〇〇六年に盧武鉉（ノムヒョン）政権の過去清算事業に反発して刊行された『解放前後史の再認識』という本が話題になったように、進歩政権に対する反動として右派的な言説が一時的に沸き起こることはこれまでもあった。『反日種族主義』の出版もまた文在寅政権への反発、そして慰安婦問題や徴用工問題をめぐる進歩派の歴史認識に対するバックラッシュである。

ただ昔と大きく異なることがある。一つは、この本の内容が検証を経ることなく、これまでとは異なる新しい言説としてＳＮＳを通じて流通する環境にあることである。たとえば李承晩学堂によるYouTubeチャンネル「李承晩ＴＶ」は、登録者数一〇万人を目前にしている。民族主義ならぬ種族主義という語もまた大衆的に広がりを見せつつある。ここでの種族主義とは学問的概念ではなく、韓国という民族集団を排他的で未開な存在として貶（おとし）めるための烙印である。以前からこの語を考えていたという李栄薫は、出版後「親日派」という攻撃に対し、「それならお前は反日種族主義者」だという反撃がネット上で可能になったことを「望ましい現象」として挙げている。[*1]

そして二つ目に、この本が韓国以上に日本で大きなブームとなっていることである。日本語版を出版した文藝春秋は、二〇一九年末、『週刊文春』などの誌面で『反日種族主義』特集を組んだ。評者のうち、自民党の石破茂はこの本を「単なる反韓・嫌韓本ではなく、著者らが現在の韓国を憂えて記した〝憂国の書〟」と評し、京都大学の小倉紀蔵は「「韓国人は歴史に対して過度な劣等感を抱くな」と励ましている……李栄薫氏らが自分たちの歴史について、これほど赤裸々に自己反省を展開する痛みの深さを推し量るべき」と述べている。[*2] 賛辞を贈るのは彼らだけではない。『週刊朝日』は『反日種族主義』を「韓国社会の成熟」と表現し、NHK前ソウル支局長の池畑修平は「この現象は、韓国における「反日」の、「終わりの始まり」かもしれない」と希望とともに評価する。[*3] 二〇二〇年二月末現在、Amazonには七一一個のレビューが載っているが、全体の評価は異様なほど高い。

ネット右翼からいわゆる知韓派にいたるまで『反日種族主義』に魅了される現象を見ると、この本は確実に日本の広範囲な読者層を設定して作られている。出だしから強調される韓国の「嘘つき文化」は嫌韓ネット右翼の決まり文句であり、韓国人自身の「自己反省」は日本の中道の知韓派たちが好む姿である。管見の限り日本のリベラルによる本格的な書評はまだ見当た

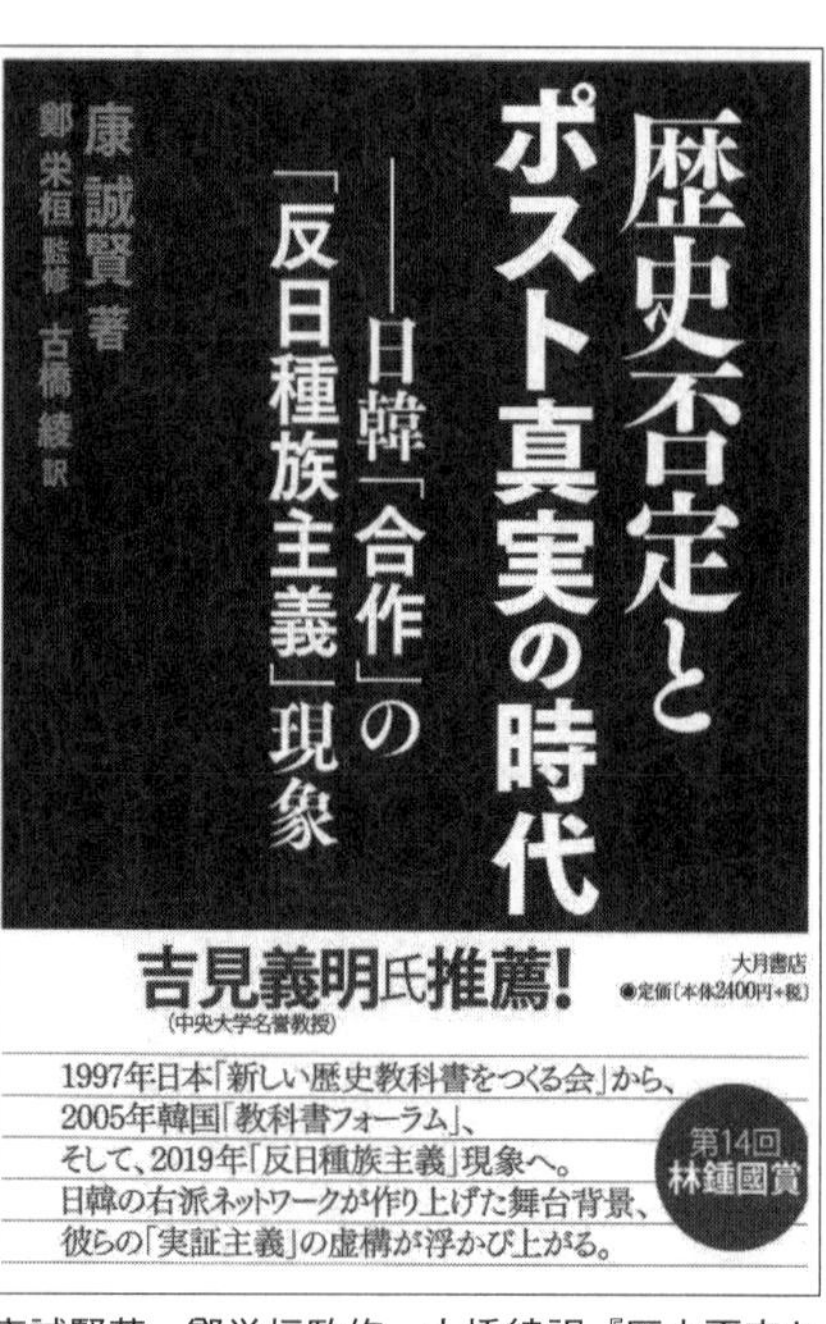

康誠賢著、鄭栄桓監修、古橋綾訳『歴史否定とポスト真実の時代――日韓「合作」の「反日種族主義」現象』（大月書店、2020年）

らない。このまま沈黙を続けるのか、あるいは五年前の『帝国の慰安婦』のときのように分裂を経験することになるのか。残念ながら目を背けてばかりはいられない状況になってきている。「誠実な韓国人は、迫害を恐れず、それに立ち向かっている」[*4]と言われるように、日本で李栄薫はすでに殉教者的な位置を占めているようである。『反日種族主義』は最もよいタイミングで効果的に散布され、嫌韓言説に一種の正当性を付与したのである。

こうしたなか韓国ではつい最近『ポスト真実の時代、歴史否定を問う――「反日種族主義」現象批判』という本が刊行され日本でも翻訳された（写真参照）。著者の康誠賢（カンソンヒョン）は、『反日種族主義』刊行当初からこの本の問題点とこの現象の拡大可能性について予見し、SNSを通じて素早く対応してきた。彼は歴史社会学者として、特に国家暴力の過去事を研究する社会学者として『反日種族主義』が提示する史料と解釈のフレームを集中的に検討し、前面から反論を提起した。日本軍慰安婦を公娼制下の職業的売春婦であったと規定し、被害者の文玉珠（ムンオクチュ）の証言を「反日種族主義」批判のために活用する李栄薫の選別的な史料の扱いをあばき、証言の語りに寄り添った文脈的な読みの方法を自ら実践してみせた。この間慰安婦問題に関する米軍資料を発掘し、被害者の声に向き合ってきた著者ならではこそ可能な作業であった。

実証主義的な反論が重要なのは言うまでもないが、現象としての歴史修正主義を問う文化論的・認識論的な分析は始まったばかりである。ポスト真実時代のいわば否定の実証主義、あるいは実証に対する冷笑をどのように問えばいいだろうか。本稿は『反日種族主義』の内容の紹介ではない。むしろ現象としての「反日種族主義」、つまり日韓のあいだで連動する歴史修正主義の展開について、康誠賢の作業を補うかたちで検討したい。[*5]

2　歴史修正主義の同時代性

まず、韓国の現実を日本の文脈とつなげてみると、よりはっきりとした構図が浮かび上がる。李栄薫をはじめとする韓国のニューライトは、歴史否定を繰り返す日本の右派と手を結んで活動領域を広げており、今後もその可能性が高い。たとえば二〇一九年七月にも、『反日種族主義』の筆者の一人である李宇衍（イウヨン）は、ジュネーブの国連本部で、「テキサス親父」日本事務局長・藤木俊一の金銭的支援のもと「軍艦島の真実」と題して徴用工の強制動員や賃金差別を否定する報告を行なった。

日韓の同時代的な流れを追跡してみると、二〇〇五年の韓国ニューライトの結集と二〇一九年「反日種族主義」現象は、日本で一九九七年の「新しい歴史教科書をつくる会」結集と二〇一三年の慰安婦歴史戦の展開などと一定の呼応関係にあると言える。すなわち韓国ニューライトの結集が盧武鉉政権の過去清算の制度化に対する反発を大きな動力としていたならば、日本の「つくる会」の結集は、一九九四‐九五年慰安婦問題と植民地支配責任に言及した河野・村山談話、より広くは戦後五〇周年を迎えたリベラル勢力の戦後の見直しを背景としていた。付け加えるならば、在日朝鮮人の参政権運動やフェミニズム運動が一定の成果をもたらしていたのもこの時点である。歴史修正主義の噴出は、慰安婦問題、在日朝鮮人、フェミニズム、そしてそれらを支持するリベラル勢力全般へのバックラッシュという性格を持っていた。

その後「つくる会」や「在特会（在日特権を許さない市民の会）」の歴史修正主義は二〇〇〇年代に入り広範囲なネット右翼に拡大し、その過程で在特会のような憎悪を肥大化させたモンスターも登場した。今日、安倍政権の背後で活躍する全国的な宗教右派ネットワークである日本会議もまた九〇年代の歴史修正主義の傍らで活動を始め、日本最大の右派勢力に成長した。韓国でもよく知られているつくる会・在特会・日本会議はそれぞれ異なる活動を展開しながらも互いに連動しつつ歴史修正主義の大きな流れを作ってきた。二つ目の転換点としての二〇一三年以後、右派たちが国際的な舞台で歴史戦を始めた契機はやはり慰安婦問題であった。二〇一三年から二〇一五年まで見ても、米グレンデールの慰安婦の碑の設置反対、「慰安婦真実国民運動」結成、日本政府内に「河野談話」検討チームの設置、吉田清治証言をめぐる圧迫と証言取り消し、右派たちの国連進出、そして二〇一五年の一二・二八の日韓合意まで、まさに慰安婦問題は日本の右派たちの「主戦場」となった。一九九七年と二〇一三年は、その数年前に非自民政権を経験し、日本社会が東日本大地震による混乱と苦痛を経たあとでもあり、そのなかで日本のリベラル勢力が対抗的な力を次第に失っていく過程でもあった。

また近年では、日本の歴史修正主義がサブカルチャーの形式とともに展開されてきたことが明かされている。[*6] 小林よしのりの作品をはじめ「嫌韓流」や「在日特権」といった歴史否定のコンテンツも、漫画やブックレットを通じて拡散していった。『反日種族主義』で李栄薫が「素朴な普通の人々の情緒」を強調するように、ファクトの検証よりも大衆の感性を刺激し、反エリート主義やアマチュアリズムを実践するかたちで論が展開される。日本の歴史修正主義の大衆化の過程は、フェイクニュースや「ポスト真実」といった今日のグローバルな現実の先駆的な反面教師として参考にすべきことが多くある。

もちろん安倍晋三の長期執権によって社会全体の反動化が進んだ日本と、近しい過去に朴槿恵政権を倒した経験のある韓国は、歴史的経験も社会的動力の点でも多くの違いがある。しかし二〇一三年の韓国歴史教科書の国定化運動を見て既視感を覚えた人々が多かったように、韓国のニューライトは日本の歴史修正主義に自らの活路を見出し反撃を始めた。反共主義を掲げて「従北」への攻撃を繰り返してきた彼らが、今度は日本の右派とともに「反日」をターゲットにし始めたのである。

今日、文政権とその支持者たち、そして歴史を語る人々を諸悪の根源の「反日種族主義者」と見なす彼らは、一五年前のニューライトのレベルからも大きく逸脱している。当時はオールドライトとニューライト・植民地近代化論者たちの違いが重要であったとすれば、現在重要なことは、二つの秩序が混じり合いながら破片化した個々人のネオリベラルな感覚を絶えず再編していることである。歴史の被害者や社会的なマイノリティの声を、過度に政治化されたものとして歪曲し、現在の秩序を脅かすものとして否定する感覚は、今後もある瞬間に繁殖する可能性がある。康誠賢はレッテル貼りのスパイラルに陥りがちな歴史認識をめぐる情況に対して、あくまで歴史的事実に根ざしていかに批判的に介入できるかを模索している。

3　歴史否定とミソジニー

映画『否定と肯定』[*7]（Denial, 2016）は、ホロコースト研究者と否定論者との法廷闘争の実話をもとにした作品である。ヒットラーを研究し信奉するイギリスの大学教授デイヴィッド・アーヴィングは、「自分はホロコーストについての関心を呼び起こした人間であるのに、「否定論者」という烙印によって名誉を傷つけられた」とユダヤ系のホロコースト研究者を堂々と名誉毀損で訴えた。それだけでなく、映画はアーヴィングの被害者への嘲弄、ミソジニー、人種主義などの性向を描いているが、そうした演出は実際の法廷でのアーヴィングの発言を再現した結果であるという。訴訟を経験した実際の主人公である歴史家デボラ・リップシュタットは、アーヴィングがミソジニストであり、一般的に否定論者たちが女性をターゲットにする傾向があると指摘した。[*8]

歴史否定論と人種主義やミソジニーが互いにどのように連動するのかは、今後多くの実証的研究が必要となるが、日韓の歴史修正主義の過程からもミソジニーやジェンダー・バックラッシュとの重要な相関関係を読み取ることができる。教科書運動が一段落した二〇〇一年以後、つくる会や日本会議が熱心に展開した運動のひとつはジェンダー・フリー反対運動であった。一九九九年男女共同参画社会基本法をはじめとする女性関連の法制化がすすみ、各自治体で男女共同参画条例やジェンダー講座、学校性教育に対するバックラッシュが全国各地で起きた。それ以外にも男女混合名簿の廃止、選択的夫婦別姓制反対、女性天皇を許す皇室典範改正反対など、既存のジェンダー秩序の変化に反対する運動が展開された。[*9]

重要なことは、こうしたバックラッシュ運動が歴史修正主義と同時に推進されたこと、そしてこれらを媒介したのが日本軍慰安婦問題への反発であったという点である。たとえば、当時のつくる会の幹部たちは慰安婦の教科書記述を否定する一方で、保守メディアを主要舞台にジェンダー・バックラッシュの主役としても活躍した[*10]。彼らは「母性の復権」を叫び、女性たちの自律的領域を否定する一方で、慰安婦を売春婦と呼び、被害者と性労働者たちを同時に侮辱する言説を再生産してきた。彼らには日本軍慰安婦問題とジェンダー・フリー教育は、愛国心と伝統的秩序を破壊するという点で積極的につながった。

近年特徴的なことは、慰安婦否定論とバックラッシュ運動を女性政治家や活動家たちが担当したことであり、それが国際的な広がりを持ったことであった。櫻井よしこ、杉田水脈、山本優美子などが代表格であるが、彼女らは歴史を否定する際に女性を積極的に押し出す。性奴隷（sex slave）という言葉が世界的に広がったことを深刻にとらえた彼女らは、在米・在欧の日本人とともに国連でのロビー活動と少女像撤去運動など、国際的な歴史戦の先頭に立ってきた。杉田は「男たちがつくった慰安婦問題を女性たちが解決する」「被害者ぶっている女性、罪を告白しているかのような偽善の男性、こうした人たちを打ち負かすのはやはり女性[*11]」であるという歪曲された「女性」主義を活用する。彼女は在特会のような露骨な嫌韓発言や暴力デモこそしないが、日本の加害歴史を否定し、男女平等を「反道徳の妄想」であるとし、在日朝鮮人、沖縄、ＬＧＢＴ、難民などすべての歴史、人権、福祉を否定するという点で「ネット右翼のアイコン」であり[*12]、バックラッシュの典型となっている。

女性を語りながらミソジニーをあらわにするのは、『反日種族主義』も同様である。李栄薫は家父長による女性の性略取を問題にし、朴槿恵・崔順実を追い込んだ韓国人の女性差別を問うているが、彼はすべての葛藤の原因と責任を「反日種族主義者」に転嫁するうえで、女性をアリバイのように活用する。慰安婦問題を「種族主義の牙城」と見なす彼は、「性奴隷説を先駆的に主張した研究」として吉見義明と宋連玉(ソンヨノク)の研究をあげ反論を提示する。吉見や宋の研究はまさに慰安婦制度と公娼制の構造的な暴力の連続性に焦点を当てたものであるが、慰安婦が公娼であると強調する李栄薫の結論はまったく逆である。つまり、慰安婦であれ公娼であれ基本的に契約であり、選択と移動、廃業の自由があったため性奴隷などではないと述べる。朝鮮の家父長による女性の性略取を繰り返し非難する彼は、なぜ慰安婦と業主の関係については「自由」や「契約関係」などの言葉で表わすのだろうか。帝国主義や植民地主義を不問に付す彼の近代至上主義には、こうした根本的なダブルスタンダードがある。

李栄薫は既存の慰安婦研究が「歴史の複雑性を過度に単純化」していると批判するが、彼は特に韓国内の慰安婦関連研究に対し言及も参照もしていない。彼の見解が公娼制から解放後の韓国軍慰安婦問題までの多くの先行研究に対する意図的な無視に基づいていることは、康誠賢が本で詳細に明かしている。被害者の一番近くで国家の責任と女性の抑圧を糾明してきた活動家や研究者たちを「無知と偏見にとらわれた扇動家」として歪曲する李栄薫の文章からは、資料調査と証言の聴き取り、被害者の支援活動を横断しながら慰安婦問題を世界的なイシューに発展させてきた人々に対するいかなるリスペクトも見られない。この対象がほぼ女性であるという事実は偶然ではない。

李栄薫は慰安婦関連研究と資料を読み込むなかで、次第に性奴隷説から遠ざかっていったと述べているが、この点に疑いを持たざるを得ないのは、『反日種族主義』全体が性奴隷説否定のために資料が配置され論理が展開されているからである。康誠賢は李栄薫が連合国の捕虜審問資料をいかに選別的に活用したのかを、自らの構造的な歴史研究の方法論を通じて見せている。また李栄薫が慰安婦被害者の文玉珠（ムンオクジュ）の証言をいかに自らの主張のために簒奪したのか、証言の多層性や証言者と記録者の関係性を想像しながら文脈的に読み込んでいく。

康は、文玉珠の証言について、「恐ろしい経験と輝かしい場面、家族を養うために頑張った場面などが交差し同居している」と述べている。証言は個別の経験に対する自己解釈の過程であり、またそれを聴く人との相互作用を通じて経験を構造化し、自らの歴史を回復する過程である。戦時性暴力の被害者にとって、それがどれだけ苦痛を伴う過程であるかは想像を絶する。

それなのに李栄薫は、証言に到達した被害者の決断を扇動家たちによるものと断定し、証言によって被害者たちの「辛くても甲斐ある人生」が失われたとまで述べる。苦しい過去を隠すことが「素朴な普通の人々の情緒」であると、証言の意味を奪い取る。もう一人の著者である朱益鐘（チュイクチョン）に至っては、「慰安婦は単に不幸でかわいそうな女性」であるとし、一九九〇年代に入りようやく沈黙をやぶった加害／被害の当事者たちの決断を「詐欺劇」と「ニセモノの記憶」として貶める。彼は人間と歴史に対する皮相的な認識と態度を堂々と紙面にさらしている。平易な文章によって人々のあいだのネガティブな情動を再編していく彼らの論は、まさに反知性主義と呼ぶにふさわしいものである。

果たして彼らは、脱冷戦期の国際関係の変化、そのなかで過去事をめぐる記憶や証言が世界的に学問的関心を集めた状況を理解できないのだろうか。彼らは、被害者たちが「二重三重の抑圧を突き破り、運動を通じて自ら主体となった」(康)、その画期的な意味をまったく理解していない。植民地近代化論者であれ、反共主義者であれ、個人の思想や信念を問うているのではない。彼らは冷戦時代に抑圧された被害者やマイノリティの声を聴く耳を持たないばかりか、世界史的な時代状況の変化を「客観的に」見ることすらできない。何より運動と証言によって被害者が不幸になったと見なす彼らの認識の根底には、被害者たちを最後まで無力化し非主体化させるミソジニーが横たわっている。

慰安婦問題が日韓関係や東アジアを超えて国際的に広がりを持った背景には、言うまでもなくフェミニズムの高まりや被害者を救済する人権思想の発達がある。逆に#MeToo運動が特に韓国で高まりを見せたのは、被害者たちの語り(speak out)と聴取=傾聴の相互作用が社会的に蓄積された結果でもある。こうしたことを無視したまま自らの主張のために慰安婦問題を動員する議論について、多角的な検討が必要である。日本の右派たちと同じように、李栄薫をはじめとする『反日種族主義』の著者たちにも慰安婦問題が常に否定論の核心であったという点は、ミソジニーの観点からもよりいっそう注目するべきである。

4　自己否定としての韓国の歴史否定論

最後に、韓国の歴史否定論の持つ独特の性格について考えてみたい。現在、日韓の右派が攻撃し嫌悪する共通の対象は一言で「反日」である。「反日」というものさしはすでに日本では歴史・人権問題を語る人々に無限に拡張され、日本の対抗言説をきわめて貧困な政治的想像力のなかに閉じ込めている。「反日」という烙印は、既存の秩序に批判的な態度を取る者に対する攻撃であり、虚構の国民的一体性のための過剰防衛の表れであり、言うなればお守りのような呪術的言語としての効果を持っている。

ところが今や韓国人が「反日」を攻撃し、否定する。自己反省の名の下で「反日」を攻撃するとき、彼らは果たしてどこに位置しているのだろうか。『反日種族主義』は「嘘で積み上げたシャーマニズム的世界観」を韓国の「精神文化」と見なし、慰安婦問題の責任を大日本帝国や日本軍ではなく、全面的に「妓生の性を略取した両班のはしくれの反日感情」に向けている。まるで韓国の慰安婦運動がこれまで家父長制を問うてこなかったような口ぶりで読者をミスリードさせる。これは果たして自己反省と言えるのだろうか。韓国の歴史修正主義は、自己反省ではなく、一言で言えば自己否定と自己欺瞞に基づいている。たとえ歴史修正主義がグローバルな現象であるとしても、植民地支配と戦争の被害を受けた側の歴史否定は奇怪かつ欺瞞的である。彼らの非難の矛先は常に外部ではなく内部に向けられている。

その点で韓国の右派たちの攻撃対象が「従北」から「反日」へと移行したのは興味深い点である。「パルゲンイ（アカ）」「親北」「従北」という烙印がそうであったように、韓国の右派たちは歴史的に内部の敵に対する攻撃と排除を自らの政治的動力としてきた。しかし時代の変化とともに「従北」フレームの効力が落ちると、より根源的に韓国のアイデンティティーを否定する方向に進んだ。「反日種族主義」はその帰結である。筆者の批判が反日種族主義であるならば、日本帝国主義を不問に付して身内に向けて憎悪を噴出させる彼らの主体のねじれは、植民地的主体の完成形態と言えるのではないか。そして日本の右派だけでなくリベラルメディアの一部も、この韓国からの自発的な嫌韓論に便乗してしまっている。

「否定と嫌悪は「表現」の問題ではなく「発話」の問題」である、と康誠賢は述べる。歴史を否定する発話の位置を明るみにするなかで、その虚偽の声に対する批判を始めるしかない。相手を単にフェイクであると追い込むだけでは、「真実ゲーム」の消耗戦が展開されるだけである。また「親日派」や「売国奴」といった烙印を押すことで満足する水準からも脱する必要がある。歴史を否定する発話の位置を積極的に問い、その主張が何を否定し、否定によっていかなる効果を発揮するのかを検討することである。否定論の効果は歴史を否定することにとどまらない。被害者に対する嘲弄と冷笑、支援者への攻撃、ミソジニーや人種主義、そして人間の尊厳の軽視につながっている。歴史は多層的、多面的であるが、だからこそ私たちはなお底辺や周辺の経験への追究を怠ってはならないし、また被害者の語りに力を添える必要がある。否定の時代にいかに歴史を語り、そしてそれ以上にいかに「聴く」ことができるのか。今まさにそのことが問われている。

（二〇二〇年二月二五日）

【注】

＊1 https://www.nhk.or.jp/kokusaihoudou/bs22/special/2019/12/1216_interview.html

＊2 『週刊文春』二〇一九年一二月一九日号

＊3 池畑修平「日本語版は40万部『反日種族主義』はなぜベストセラーになったか」『文藝春秋digital』2020.01.26. https://bungeishunju.com/n/ndaf89d7cf73f

＊4 https://twitter.com/Yamashita12S/status/1217823575815548928

＊5 本稿は、康誠賢の本に載せた筆者による補論を翻訳・修正したものである。

＊6 倉橋耕平『歴史修正主義とサブカルチャー――90年代保守言説のメディア文化』青弓社、二〇一八年

＊7 この邦題自体に大きな問題があるが、それについてはひとまず橋玲の以下の評論を参照。https://diamond.jp/articles/-/184804

＊8 『GLOBE+』2017.12.7. https://globe.asahi.com/article/11532409

＊9 船橋邦子「ジェンダー平等政策とバックラッシュの背景」『和光大学総合文化研究所年報 東西南北』、二〇〇七年、山口智美「官民一体の「歴史戦」のゆくえ――男女共同参画批判と「慰安婦否定論」『海を渡る慰安婦問題――右派の「歴史戦」を問う』岩波書店、二〇一六年、조경희「일본의 #MeToo 운동과 포스트페미니즘」『여성문학연구』47, 2019.

＊10　西尾幹二・八木秀次『新・国民の油断――「ジェンダーフリー」「過激な性教育」が日本を亡ぼす』ＰＨＰ研究所、二〇〇五年

＊11　杉田水脈・山本優美子『女性だからこそ解決できる慰安婦問題』自由社、二〇一八年

＊12　山口智美「ネット右翼とフェミニズム」、樋口直人ほか著『ネット右翼とは何か』青弓社、二〇一九年

Ⅲ－3　新型コロナウイルスの流行で露呈するレイシズム
――イスラエルの科学的言説による歴史修正主義

早尾貴紀

はじめに

世界各国を移動制限や国境封鎖までさせるような新型コロナウイルスの流行は、単なる集団感染症の問題を引き起こしただけではなく、世界中に「レイシズム問題」を爆発的に露呈させた。それは、新型コロナウイルスが中国の武漢から集団感染が始まったことから生じた中国人差別と、それに伴うアジア系の（と見える外観をもつ）人々に対する差別としてまずは発生した。人を「コロナ」と呼び侮蔑し、ときには暴行へと発展することが、日本も含む世界の各地で多発したのである。すでに民族的な差異など無関係に文字どおりに全世界で蔓延するようになって三ヶ月ほどが経過したが（連載執筆時点で）、なおも「中国起源」をもってアジア系に対するレイシズム的差別の報告が跡を絶たない。

もちろんここで、あらゆる差別が無根拠で不当であるように、実際にその人が中国国籍であっても、そして新型コロナウイルスの感染者であったとしても、レイシズム的差別もまた無根拠で不当であることは言うまでもない。個人の国籍や出自はウイルスと無関係であり、また感染者は治療されるべき患者であって攻撃者ではないからだ。ところが世界の差別はそうした理性的判断からかけ離れたレイシズムを剝き出しにした。その不合理性は、たとえば日本では、その人の外見からは判別がつかないのに、ひとたび中国籍と知るやとたんに「コロナ！」と名指すような暴言が吐かれることがあった一方で、アジアの外側に出ればすかさず日本人や日系人も含めて同じ「アジア系」として「コロナ！」と名指され暴言・暴行の対象とされたことに、象徴的に表れた。たとえばアメリカ合衆国生まれのアメリカ合衆国国籍者の日系人であろうと、「アジア系」と括られればウイルス扱い、ウイルスを持ち込んだ犯罪者扱いを受けうることがあった。人は、現実を離れて思想・感情によって人間集団の線引きを行ない、攻撃的言動を正当化する。

それに関してイスラエルにおいても典型的な差別・暴行事件が起きた。ある「アジア人」と見える男性が、路上で突然二人組から「コロナウイルス！」と名指され暴行を受け負傷した。もちろん背景には、欧米世界と共通する、イスラエルのマジョリティがもつアジア系全体への蔑視がある。だがこの被害者は実は、イスラエル国籍をもつ「ユダヤ人」であった。厳密に言うと、インドから「ユダヤ人」として帰還法にもとづきイスラエルに移住し、イスラエル国籍を取得したインド系ユダヤ人であった。ここでアメリカ合衆国のアジア系移民（およびその二世や三世）と事情が異なり複雑なのは、このインド系ユダヤ人が、イスラエルで建前として信じられている「単一ユダヤ人種」の一員として、すなわち本来的国民として、ユダヤ人国家イスラエルへの移住政策によって移住を促されてきた移民であった点である。アメリカ合衆国では、ヨーロッパ地域からであろうと、アフリカ地域からであろうと、アジア地域からであろうと、先住民以外はみなどこからかの「移民」であるが、イスラエルの場合は異なる「移民＝国民」認識をもつ。以下に述べるように、世界中に遍在するユダヤ教徒だけがイスラエル「国民」の資格をあらかじめ有するものとして移民しているのだ。

1 「単一民族国家」イスラエル

イスラエルは「ユダヤ人国家」であるとされる。だが、「ユダヤ人」とは誰のことなのかの定義は、あらゆる「民族」についても言えることだが、錯綜しており一義的ではない。最もシンプルに言えば、信仰において「ユダヤ教徒」であることとなるが、キリスト教徒を「キリスト人」、仏教徒を「仏人」とは言わないように、「ユダヤ人」というのは宗教的定義では説明がつかない。実際ユダヤ教徒の人種化・民族化は、文字どおり、近代社会の人種主義や民族主義とともに発生したのであり、その点で「ユダヤ人」という定義は間違いなく、他の宗教・民族・人種との関係性における近代の発明物である。詳述は控えるが、ヨーロッパ近代がキリスト教世界として、同じ啓典宗教であるユダヤ教とイスラームを「異教」として排除していくことと、国民国家化していくことがあいまって、ヨーロッパ世界内のユダヤ教徒とムスリムとは「不純なマイノリティ」として他者化され、物理的に域外へと追放されるか、改宗による同化を迫られるかした。つまり、「国民」ならざる「非国民」とされたのであった。さらに「科学」を装った人種主義が入り込み、ユダヤ人は「異教」であるだけでなく、むしろ改宗したがゆえに、信仰を変えてもなお変わらない「血」によって規定される「異人種」とされていった。

ヨーロッパ世界におけるこの排外的な反ユダヤ主義が、その反動として、ユダヤ・ナショナリズムとしてのシオニズム運動を、つまりユダヤ人国家論を生み出していく。国民国家思想を自ら取り込みつつ、同時に、ヨーロッパ至上主義的な人種思想をも取り込んだユダヤ人アイデンティティを形成していったのだ。このようにユダヤ人国家を生み出したシオニズム運動は、ヨーロッパの白人至上主義を共有している。今回の新型コロナ騒動におけるインド系ユダヤ人への暴行の背景にはこの歴史的問題がある。

イスラエルは「ユダヤ人国家」である、という。その「ユダヤ人」は実体的な人種存在である、という。そうであるがゆえに、ユダヤ人はヨーロッパから異人種として排斥されたし、また、「ユダヤ人国家」を建設したのだ。これが建前だ。したがって、イスラエルの本来的国民は「単一民族（単一人種）」であることになる。しかし、それにもかかわらず、「同じユダヤ人」同士のなかで差別や暴行が起こっているのだ。

2 ヨーロッパ中心主義

イスラエルには、本音の部分でヨーロッパ中心主義がある。建前で「ユダヤ人国家」だとしても、単にユダヤ教徒のための国家というわけではないのだ。ではなぜ建前ではなく、その本音のほうを貫いて、ヨーロッパ系ユダヤ人だけの国家を作らなかったのだろうか。建国後のイスラエルは、まずは中東地域から、次にエチオピアから、そしてインドから「ユダヤ教徒」を、「古代イスラエルから世界に離散していったユダヤ人の末裔」として移民させることを政策として推進した。これは通常の意味での移民ではなく、古代イスラエルにルーツがある以上、「故郷」への「帰還」なのであり、ヘブライ語では「アリヤー」（「シオンに上る」の意）という。

これは移民して建国する先のパレスチナ（現イスラエル領とヨルダン川西岸地区・ガザ地区を含む）の人口構成において、ヨーロッパからの（およびヨーロッパからすでに移民していたアメリカ合衆国からの）移民のみでは、先住のパレスチナ人（パレスチナ在住のアラブ人、大半がムスリムとキリスト教徒）の人口を上回ることができず、「ユダヤ人国家」の実現がおぼつかなかったからである。半世紀にわたる移民・入植活動を経てなお、一九四八年のイスラエル建国直前で、パレスチナ地域におけるユダヤ人人口は総人口のわずか三割だった。パレスチナの分割とユダヤ人国家建設をめぐる第一次中東戦争で九〇万人前後のパレスチナ人を虐殺ないし追放することで、建国されたイスラエル領内に限ればユダヤ人人口が八割を占めることができた。このあたりの経緯は、私がパレスチナ研究者の田浪亜央江さんと訳したイラン・パペ『パレスチナの民族浄化』に詳しく論じられたことで広く知られるようになったので、そちらに譲る。

問題はその後だ。国是の「ユダヤ人国家」を理想に近づけるためには、できるだけユダヤ人比率を上げたいところだが、現実には欧米からのユダヤ人移民は頭打ちとなり、逆にパレスチナ人は出産による人口増加率が高いために、イスラエル国内のパレスチナ人比率のほうが高まってしまう。そこでまず目をつけたのが、中東の各地に居住するユダヤ教徒であった。アラブ圏（東はイラクから西はモロッコまで）およびイラン、トルコなど、イスラームとキリスト教が広がっている地域では、共通の一神教としてユダヤ教コミュニティが遍在していた。それは一神教内の宗派の差異に近く、それら相互間の改宗も珍しくはなかったからである。当然そこに暮らすユダヤ教徒は、アラブ人のユダヤ教徒、イラン人のユダヤ教徒、トルコ人のユダヤ教徒であった。

ところが、建国したイスラエルは、このユダヤ教徒たちを人種主義的に「ユダヤ人」として一義的に規定し、そのアラブ人・イラン人・トルコ人といったアイデンティティを否定した。

そして「ユダヤ人」である以上はイスラエルに移住すべきだとして、各地で反ユダヤ主義を煽りイスラエルへ移民を余儀なくさせるなどの謀略も辞さなかった。結果として、中東世界のユダヤ人コミュニティは、一九五〇年代から六〇年代を通してほぼ一掃されてしまうこととなった。その一方でイスラエル国内では、ヨーロッパ出身のユダヤ人「アシュケナジーム」と、中東出身のユダヤ人「ミズラヒーム」の二大ユダヤ人集団が、「単一のユダヤ人種」という建前のもとに結集しつつ、しかし本音としては、異なる集団として分断され、欧米出身ユダヤ人＝一級市民、中東出身ユダヤ人＝二級市民といった具合に社会階層化されていったのである。

とりわけアラブ系ユダヤ人（ユダヤ教徒のアラブ人）については、ユダヤ人とアラブ人とが同じ預言者アブラハムを祖とする「兄弟」でありながら、その同族性を否定され、徹底してアラブ性のみを否定されることとなった。何しろ「アラブ」は、戦うべき敵の民族集団なのだから、もはやそれは共存する多義的アイデンティティではなく、自己否定して抹消すべき矛盾となってしまったからだ。このことは、アラブ性を否定したい欲望ゆえに、いっそう「同じユダヤ人種」言説を強化するように作用した。

3　エチオピアとインドからの「黒いユダヤ人」

さて、中東圏のユダヤ教徒コミュニティが一掃されると、イスラエルへの移民数は頭打ちとなるが、他方でイスラエル国内のアラブ・パレスチナ人の出生による人口増加は止まらない。「帰還」という名のユダヤ人移民政策を推進し続けないかぎり、イスラエルのユダヤ人人口比は下がってしまうことが不可避だ。そこでイスラエルは、世界中で「ユダヤ人」を「発見」しなければならない。

一九八〇年代には、古代正教を国教とするエチオピアで、ユダヤ教的な文化習慣（コシェルという食物規定やダビデの星）を保持する地域の住民が「ユダヤ人」として「発見」された。イスラエルは政治経済的に混乱状況にあったエチオピア政府と取り引きし、人道的救出という名目で一九九〇年代までに移民させた。ただ、話はこれで済まなかった。紀元四世紀にまで遡るエチオピア正教は、古代ユダヤ教の系譜を色濃く引いており、さらには紀元前一〇世紀の建国神話における初代王メネリク一世は古代イスラエルのソロモン王の私生児であるとされている。そのため、理屈としては、すべてのエチオピア正教徒が元ユダヤ教徒であり、しかもソロモン王の末裔であると強弁することが可能であり、実際、この自称「元ユダヤ教徒」たちのイスラエルへの移民申請は跡を絶たず、毎年一定枠の移民を受け入れ続けることとなった。

このエチオピアからの「ユダヤ人」移民は、肌も褐色で一見して識別されることに加えて、タルムードを聖典とするラビ・ユダヤ教からするとユダヤ教徒としての正統性に疑念もあるため、イスラエル国内では差別を受けることが多い。それにもかかわらず移民が続くのは、移民を出すエチオピア側の経済的動機と、移民を受け入れるイスラエル側の人種主義的動機が、利害関係として一致しているからである。ただただ対アラブ・パレスチナ人との人口比競争で優位を保つために、手段として「ユダヤ教徒」とおぼしき集団を移民政策に利用したと言える。そのため、ヨーロッパ至上主義の強いユダヤ人は、この褐色のエチオピア移民の導入に人種差別的に反対し、反アラブ的主張の強いユダヤ人は、エチオピア移民政策にユダヤ人種論的に賛成するが、結局どちらの側もレイシストであるという皮肉な事態になっている。

そして次に、冒頭でも「コロナウイルス！」と名指され暴行を受けたインドからの「ユダヤ人」移民である。インドには大きく五つのユダヤ教徒地域・集団がある。そのうちの二つは近代における出自が明白だ。一つは、スペイン・ポルトガルのレコンキスタおよび大航海時代以降の近代化の過程で一六世紀以降にイベリア半島や地中海・中東地域から移住してきたグループで、もう一つは一八世紀後半以降に東インド会社の進出とともにイギリスなどヨーロッパ各地および中東地域から移住してきたグループである。いずれも大都市圏にコミュニティを作った。

あとの三つのグループのうち二つについては、出自がよくわかっておらず複数の通説で語られるのみである。一つがムンバイ周辺の「ベネ・イスラエル」で、この集団は古代ユダヤ教的な習慣を保持しているだけで、ユダヤ教の聖典を持っているわけではないという点で、エチオピアのユダヤ人に似ている。もう一つが、「コーチン・ユダヤ人」で、こちらも古代に遡っても諸説が飛び交い起源が不明なユダヤ人集団である。この二つの集団は、インド人が改宗したという説もあり、ユダヤ教的文化をもたらした祖先の伝来は不明だが、その集団は他のインド人と外見上変わるところはない。先の近代以降のヨーロッパや中東ルーツのユダヤ人グループが「白いユダヤ人」と称されるのに対して、こちらの古代からの二つのグループは「黒いユダヤ人」と称される。

最後の一グループは、まったく別の背景を持っている。「ブネイ・メナシェ」と呼ばれており、古代イスラエルの「失われた一〇支族」のうちの一つメナシェ族の末裔を自称するも、民族的にはチベット＝ビルマ系の山岳民族に属しており、顔立ちも東アジア系である。このグループは、宣教師の影響で福音主義的キリスト教思想を持っていたが、その族長が一九五一年に「イスラエル帰還」の啓示を受けて回心したことをきっかけに、より原理主義的に集団でユダヤ教へ改宗し、イスラエル移住の運動を始めたという。

イスラエルは、近代以降のヨーロッパ系と中東系の「白いユダヤ人」についてはもちろん、ベネ・イスラエルとコーチン・ユダヤ人の「黒いユダヤ人」についても「失われた一〇支族」だという俗説に乗じ、この四グループについては建国後まもなくからユダヤ人としてイスラエル移民を認めていた。だが、このブネイ・メナシェの「帰還」についてはイスラエル国内で論争があった。時期的にはエチオピアの「ユダヤ人」の発見と重なる。一九九〇年代に約千人のブネイ・メナシェを、ヨルダン川西岸地区とガザ地区のユダヤ人入植地に、つまり紛争地の最前線に戦略的に移民させたのが始まりだ。二〇〇五年になって正式にユダヤ教徒であると認定され、イスラエルへの「帰還」と国籍取得が認められたが、宗教的・民族的には疑問視する意見は残り、政治的にもインド政府から抗議を受けたり、パレスチナ占領地への入植についても非難を受けたりするなど、論争が絶えない。

そうしたなか、ブネイ・メナシェの「帰還」は続き、現在では四〇〇〇人に達するという（エチオピア系移民の一五万人に比べればはるかに少ないが）。冒頭の暴行を受けたインド系ユダヤ人というのは、このブネイ・メナシェの新移民で、三年ほど前にイスラエルに移民してきたばかりだという（連載執筆時点で）。そして、「コロナ！」と名指され暴行を受けたときに、そのアジア系の風貌から中国人だという誤解を受け、「中国人！ コロナ！ コロナウイルス！」と怒鳴られていたのだ。ここには何重もの人種主義・人種差別が作用している。すなわち、インド系ユダヤ人移民というだけでも、肌の色で「黒いユダヤ人」と称されたとしても、しかし「中国人」と見なされることはないだろうが、ここではチベット＝ビルマ系山岳民族として、アジア人の顔立ちをもって「中国人！ コロナ！」と名指されたのだ。イスラエル政府が対アラブ人との人口比競争政策でインドから「帰還」を認めた「ユダヤ人」を、外見で「中国人」と呼び、その連想で「コロナ」と呼ぶ。何重にも屈折した恣意的人種カテゴリーの暴力に、めまいがする思いである。

4　歴史修正主義と生物学・遺伝学

それにしても、「ユダヤ人国家」イスラエルはいったいどのようにしてこの支離滅裂な「単一民族神話」を支えているのだろうか。古代イスラエルからの「離散」と、世界中からの「帰還」の物語は、俗説的な語りだけで正統性を得たり流布したりするものではない。

言うまでもないことだが、聖書学の恣意的解釈は、世界的にかなりの影響力を持ってきた。そもそもが、古代の「ユダヤの民」（ヘブライ人＝これらも時代によって範囲やニュアンスは変化する）と現代の「ユダヤ人」（こちらも上記のように範囲も定義も曖昧である）とはまるで異なる以上、古代「イスラエル王国」と現代「イスラエル共和国」とは概念的に全く違う存在である。近代以降の民族概念や国家概念を古代の聖書記述に投影するのは、現在の政治体制や民族主義・人種主義を正当化するための、利用主義的な解釈である。

日本語にも翻訳されているイラン・パペやシュロモー・サンドなども指摘しているように、パレスチナ地域に住んでいた古代のユダヤの民はキリスト教やイスラームが派生するなかで改宗していき、現在のさまざまな宗教・宗派のアラブ人になっている。それは厳密な聖書読解からも、歴史人類学からもそうなのであり、すべてのユダヤの民が根こそぎにバビロニアやローマへ捕囚となったり、世界各地に離散したりしたわけではない。捕囚や離散は一部の指導者・

宗教者のことであり、大半の住民は体制が替わろうと、宗教文化が変化しようと、移住者が入ってこようと、その地に暮らし続けたのである。預言者アブラハムはアラビア語で「イブラーヒーム」、モーセは「ムーサー」、イエスは「イーサー」であり、いずれもアラブ・ムスリムにとっても祖先たる預言者なのだ。そしてその末裔は現在のユダヤ教も含む多宗教のアラブ人なのである。

一般に歴史修正主義とは、たとえば植民地や戦争の歴史についていえば、植民地支配を開発として肯定したり、虐殺の存在を否定することだったりするが、そうした歴史解釈や歴史改竄にかぎらず、この壮大な聖書の物語を近代シオニズムや現代イスラエルに直結させて、ユダヤ人の離散と帰還の物語に短絡させる改竄もまた、歴史修正主義と言うべきだろう。

シオニズムとレイシズムを支える学問（の装いをした言説）はこれだけではない。もちろん歴史学や社会学の政治的偏向は指摘するまでもない。そうではなく、いかにも実証的・科学的な学問もまた、シオニズムに恣意的に動員されている。これこそもっと指摘されるべきことだろう。二つ挙げよう。

一つは、生物学、なかでも遺伝子配列から民族集団の特徴を析出しようとする遺伝学だ。「ユダヤ人」が単一民族集団であり、しかもそれがユダヤ教信仰という文化行為という不確かなものに基づくのではなく、人種的な意味で規定される実体であるとシオニストは主張する。また世界の多くの人々がそれを常識的知識と考えている。つまり、古代イスラエル王国のユダヤ人が文字どおりに世界に離散し、その血統的な子孫が復活した故郷たる現代イスラエル国家に「帰還」している、ということがユダヤ人国家を正当化する根拠とされているからだ。そのために、イスラエルの各大学・研究所では、数多くの「ユダヤ人の遺伝子特定のプロジェクト」が取り組まれてきた。ヨーロッパ各地のユダヤ人、中東各地のユダヤ人、そしてエチオピアのユダヤ人、インドのユダヤ人まで、DNAサンプルを採取しては、ユダヤ人に特徴的と言えそうなものを探し出そうという、長年繰り返されてきた試みだ。

この荒唐無稽としか言いようのないプロジェクトが、しかしイスラエルにおいてはきわめて重大な政治的意義を持つのであり、大真面目に調査されてきたのだ。そして、毎年のように、ユダヤ人に見られるDNAの特質の「発見」が発表されている。だが、たとえば東欧、パレスチナ、エチオピア、インドの「ユダヤ教徒」から共通する遺伝子的特質が見つかったとして、それが「生物学的に単一のユダヤ人種」であることの証明になると考えるには、論理的飛躍がありすぎる。第一に、その特質が他のあらゆる人間集団には見られないことを証明しなければならないし、第二に、その遺伝子的特質こそが各地に離散するユダヤ教徒を一つの「ユダヤ人種」たらしめている発現を証明しなければならないが、その手続きを無視して、DNA解析にばかり没頭している。だがそれは、すでに最初から「ユダヤ人種が存在し、それを示す遺伝子的特徴が存在する」という論点先取の誤謬というものだ。最初にすでに結論が先入見としてある以上、あとはその結論に合致しそうな（そう言えそうな）データだけをごくわずかでも見つけることができれば、それで「発見」であり、それがすぐさま「証明」なのだ。もちろんその際、それに合致しないすべてのデータは無視して捨て去られる。これがユダヤ人種の生物学的存在証明のお粗末な正体だ。

このことから予想されるように、この手法の「論理」は、容易に「日ユ同祖論」という古くからのトンデモ説（日本人とユダヤ人は同じ祖先をもつ、あるいは、日本人は失われた一〇支族のうちの一つの末裔だ、という説）を「ＤＮＡ検証」の結果として正当化する主張を導き出す。この「日ユ同祖論」はいくら学問的装いをしようとも一笑に付される空想の域を出ないが、イスラエルにおいてヨーロッパ系ユダヤ人とエチオピア系ユダヤ人とインドのブネイ・メナシェとの同祖論は、大真面目な生物学的議論になるのだ。そしてこの荒唐無稽な議論が、国家の歴史的正統化に結びついている以上、これもまた歴史修正主義の一形態と言えるだろう。

5　歴史修正主義と考古学

シオニズムを支える実証的科学のもう一つの例は、考古学だ。実際に丹念に地下を掘り起こして古代の生活や社会を調査する地道な考古学は、全く現代政治には無関係な研究のように思われるだろう。たとえば日本で弥生時代の遺跡を発掘したとして、それが国家の正統性に関わるものと考える人はいない。ところが、イスラエルにおいてはそうではない。地層の下の発掘が、現代の国際政治に直結してしまうのだ。

それが最も顕著に表れているのは、聖都エルサレム旧市街の発掘調査だ。大雑把に整理しても、紀元前一〇世紀からの第一神殿時代、紀元前六世紀からの第二神殿時代、紀元前後のローマ支配時代、四世紀からのビザンチン時代、七世紀からのアラブ時代、一二世紀からの十字軍時代、一四世紀からのマムルーク時代、一六世紀からのオスマン帝国時代、といった具合に統治王朝が入れ替わり（それぞれの期間にもさまざまな変遷があった）、そしてそのたびに城塞都市エルサレムは建設と破壊と改築とを繰り返してきて、それが層をなして積み上がっていった。シオニズムの離散と帰還を正当化する有名なスローガンに「土地なき民に、民なき土地を」というものがあるが、それは古代ユダヤ人が離散したあとはイスラエルが無主の地であり、そこにユダヤ人が帰還したかのような表現だが、この統治者の変遷の歴史を見ても、この地が無主だったことは一瞬たりともなかったことがわかる。純粋な考古学的関心から言えば、そのすべての層が研究調査の対象であり、どの層もそれぞれに重要なことは変わりないはずだ。

だが、イスラエルの考古学、とりわけエルサレム旧市街の発掘調査では、最重要なのは古代ユダヤ人の社会生活の痕跡とされ、とりわけアラブ・イスラーム時代の歴史遺産は軽視され、場合によっては意図的な破壊にさえさらされてきた。すなわち、より古い時代の遺跡はより下の層に沈み、より新しい時代の遺跡はより上の層に積み重なる。シオニストにとって何より重要な古代ユダヤ社会の遺跡を発掘するには、その上の層にあるアラブ・イスラーム時代の遺跡を先に掘り返さなければならない。その際に、歴史的にしばしば不都合でさえあるアラブ・イスラーム関連の史跡の扱い方が学問的に公正ではないことがしばしば指摘されてきた。この手法は、先の遺伝子研究と相通じている。まず古代ユダヤ人の痕跡ありきで、そのわずかな遺跡を発見するためには、それ以外の遺跡には目もくれない、というのは、ユダヤ人遺伝子を発見しようという生物学と同質なのだ。

最近、科学雑誌『ナショナル・ジオグラフィック』二〇一九年一二月号で「エルサレムを掘る――聖都の発掘調査をめぐる対立」が特集された（英語版、日本版ともに）。そこで批判的に紹介されているのは、まさに考古学的発掘をめぐる政治対立である。従来の考古学的手法が聖書の記述を裏づける目的が先にありきで非科学的なものであること、シオニストの財団からの多額の資金提供による強引な発掘工事でパレスチナ人の居住区を損壊させていること、そのことを取材した記者には財団から脅迫メールが届いていることなどが書かれてあった。イスラエルにおいては、地下の遺跡でさえもがユダヤ人国家を正当化するための重要な資源なのである。

もちろん先述のように、かりにより下層に古代ユダヤ人の遺跡が出現したとして、そのユダヤ文化は現代のユダヤ人と直結するものではなく、ユダヤ人国家イスラエルを正当化するものではありえないのだが、しかし、その荒唐無稽な考古学調査がなおイスラエルでは国益となる政治的意義を有しているのである。こうした考古学もまた、歴史修正主義と言いうるだろう。

おわりに

世界中で新型コロナウイルスの影響は、新自由主義による医療福祉の崩壊や経済格差を露呈させ、社会的弱者をいっそう不安定にさせるということを明らかにした。これはコロナによって引き起こされた問題なのではなく、平時においてつねに存在している問題が、危機において表面化しているということだ。各地で勃発した中国人差別やアジア系差別もまたそうだ。日常的に遍在するレイシズムがこの機に発露したにすぎない。

本論で切り口としたイスラエルにおけるインド系ユダヤ人に対するコロナ暴行事件も例外ではない。結局のところ、イスラエルを「ユダヤ人国家」たらしめるために建国以降絶えず動員してきたありとあらゆる差別や歪曲や虚偽が、この瞬間にヨーロッパ中心主義的な「アジア系排除」として暴発した。その一件から垣間見えたのは、アラブ・パレスチナ人を極小化するために、どれだけのレイシズムが科学的装いのもとで働いてきたのかということであった。政治学や聖書学や人類学はもとより、生物学や遺伝学や考古学といった学問分野までが、イスラエルにおいては「ユダヤ人国家」という壮大なフィクションを支えるために動員されてきたのだ。そのすべてが、ユダヤ人の離散と帰還という物語を捏造する歴史修正主義の国家プロジェクトを構成しているのである。

（二〇二〇年五月一日）

【参考文献】

久保有政『日本とユダヤ　運命の遺伝子――失われたイスラエル10支族と秦氏の謎』学研プラス、二〇一一年

シュロモー・サンド『ユダヤ人の起源――歴史はどのように創作されたのか』高橋武智監訳、佐々木康之・木村高子訳、浩気社、二〇一〇年

徳永恂、小岸昭『インド・ユダヤ人の光と闇――ザビエルと異端審問・離散とカースト』新曜社、二〇〇五年

イラン・パペ『パレスチナの民族浄化――イスラエル建国の暴力』田浪亜央江、早尾貴紀訳、法政大学出版局、二〇一七年

早尾貴紀『パレスチナ／イスラエル論』有志舎、二〇二〇年

『ナショナル・ジオグラフィック』日本語版 二〇一九年一二月号「エルサレムを掘る――聖都の発掘調査をめぐる対立」

第Ⅳ部　主権の残余から

Ⅳ－1 沖縄で政治化するウイルスとつながるディスタンス
——開かれた現場、開かれた歴史に向けて

呉世宗

1 新型コロナウイルスと沖縄

新型コロナウイルス感染症（COVID-19）がいまだ世界的に猛威を振るっている。日本でもオリンピックの延期が決まった直後から感染者が急増し、これまで何度となく「この二週間が大事だ」と言われ続けたことは記憶に新しい。

沖縄は感染者数だけ見るとものすごく多いとは言えないものの、しかし一〇万人単位での感染率は全国で一四位まで上昇した。「南の島は安全だ」という噂を信じて、あるいは「自粛疲れ」からか、二〇二〇年二月末から三月にかけて沖縄への観光客が増加したことが感染者を一

琉球新報style より。（https://ryukyushimpo.jp/style/article/entry-1116157.html）

時期急増させたためである。

沖縄県知事も感染者の増加を抑制すべく、「緊急事態宣言」が日本全国に適用された四月二三日以前の四月二〇日、沖縄県独自の「緊急事態措置」を発令している。これにより七業態の施設に休業が要請され、その結果私の勤める大学も入構禁止となった（五月二〇日まで）。大学での会議や講義はすべて遠隔化し、今もって急速なデジタル化が進行している。大学も含めたこのデジタル化は適応不適応という線引きを超えて、かなり深刻な問題をもたらしているようにも見える。デジタル化可能な業種（大学教員）と不可能な業種（医療とその現場）という線引きであったり、経済的な理由でそもそもデジタル化への移行が困難な人たちの排除といった問題である。個々の身体に関わる問題が新たに生まれているとも言える。

今現在はというと、緊急事態措置の成果か、はたまた県知事によるゴールデンウィーク中の来沖自粛の呼びかけが功を奏してか、通りを走る自動車の数は少なくなり、連休中の国内観光客も激減し（九割以上減）、新たな感染者がゼロの日が二〇日間以上続いている。第一波は乗り越えたと見てよいだろう。

とはいえ、観光業が経済的主柱となっている沖縄において、ウイルスの抑え込みと引き換えの観光客の大幅な減少はかなりの打撃である。やや遡ればこの経済的ダメージは、日本政府が中国、韓国からの入国を制限した直後からすでに起きていた。那覇国際空港への両国からの直行便がほぼ途絶えてそれほど時間が経たない三月下旬、早くもドラッグストアやレンタカー会社が廃業に追い込まれ、二ヶ月間休館すると公表したホテルが現れた。これに続く国内観光客の激減も追い打ちをかけている。今もって飲食店などが被っている損失は計り知れず、観光客向けのマンゴー販売にも暗雲が立ち込めているという。観光産業に依拠する沖縄経済は、緊急事態措置と深刻な葛藤を引き起こす構造のもとにある。沖縄県は五月一四日に緊急事態宣言を解除し、同月二〇日には休業要請も全面解除したが、国外国内から人の流れが以前のように戻ってくるには時間がかかるはずである。

2　閉じ込められる生

あらためて言うまでもなく、沖縄が経済的に深刻な打撃を受けているのは、それほどまでに境界を越えたヒト・モノ・カネ・情報などの流れに沖縄がさらされ、他地域に深く依存しているためである。新型コロナウイルスの流行が目に見えるようにしたことの一つが、この流れに沖縄が深く組み込まれていたことであった。

しかしながら、今回の新型コロナウイルスの感染予防を理由に引き起こされているのは、経済的問題だけに限らない。私にとって衝撃的だったのは、経済問題よりも、国と国との関係を国家が一瞬のうちに断ち切り、人の移動を一気に止めたことであった。とりわけ先に触れた中国、韓国からの入国制限である。

冷戦終結後、カネやモノだけでなく爆発的な人の流れも生まれ、それが国家や国境を相対化させるという議論もあったはずである。もちろんそのような相対化現象は起きているのであろうが、しかしながら新型コロナウイルスの蔓延防止を理由とする入国制限が垣間見せたのは、依然として強力な力を行使する国家が存在するという当たり前の事実である。グローバル化は、実のところ、いまだ強力なこの国家の存在を残念ながら前提にしていたとも言える。

もちろん人々の安全・健康のために国家がすべきことは多くあるだろう。生活を保障するために一世帯にマスク二枚などではなく、検査体制の充実化や病床や酸素吸入器の確保、公金をつぎ込んでの治療薬やワクチンの開発、当面の生活を維持するための現金給付などである。しかしながら日本政府が行なったのは、自粛を「要請する」という奇妙な「緊急事態宣言」に先立って、恣意的にそして一方的になされた中国・韓国からの入国制限であった。バイオセキュリティを理由としたためか、この移動の自由の制限に対し大きな批判は日本国内から聞こえてこなかったと記憶する。

またこれは移動の自由の問題だけでなく、とりわけ韓国からの入国を制限した背景には、ホワイト国からの排除問題、ひいてはいわゆる「徴用工」問題があったと見てよく、したがって移動制限には歴史認識問題が結びついている。中国・韓国からの一方的な入国制限は、日本という国に分かちがたく絡まり合っている歴史に対する否認とセットであったと考えられるのである。

バイオセキュリティを利用した国家主導の歴史修正主義に関連することとして、「ウイルスとの戦い」「ウイルスに勝つ」といった、社会に広まりつつあるSFまがいの発言を挙げることもできよう。たとえば琉球大学の学長も新年度早々「新型コロナウイルスに打ち勝とう」なる声明を琉球大学公式ウェブサイトに発表しており、この言説の拡散に加担している（「新年度を迎えるにあたっての学長からのメッセージ　～新型コロナウイルスに打ち勝とう～」https://www.u-ryukyu.ac.jp/news/12422/）。

この「勝つ」という言説が恐ろしいのは、いとも簡単に「ウイルス」と具体的な何かを同一視させるからである。日本政府の閣僚がすすんで用いる「中国ウイルス」という言葉が「ウイルス」を「中国」と同一視させるように。要するに「勝つ」は容易く排外主義に結びつくのであり、日本の場合それが歴史修正主義を支えるのである。武漢の人々を「皆殺しにする」という落書きが靖国神社内の公衆トイレに落書きされる事件があったが、これなどもウイルス問題を契機として、もともとあった中国に対する憎悪が増幅されたものにほかならない。皮肉なのは、国家による恣意的な入国制限のあとに日本で蔓延したのは、ヨーロッパから到来した新型コロナウイルスの可能性が高いとされたことだろう（https://scienceportal.jst.go.jp/news/newsflash_review/newsflash/2020/04/20200430_01.html）。

私が受けた衝撃に戻るならば、それは日本社会におけるマイノリティである私自身がウイルスのように扱われ、かつ移動の制限によって危機的な状態のまま閉じ込められるのではという恐怖感を持ったからである。沖縄で感染した一人に外国人のホテル従業員がいたが、必要のない謝罪をホテル側が必死にしている姿を思い起こすにつれ、私はますます感染してはならないという思いにとらわれ続けている。

沖縄県庁前広場では、五年以上にわたって毎週水曜日にヘイト・スピーチを垂れ流す集会が開かれているが、ここ最近は「武漢ウイルス」といった言葉も用いられている。だが沖縄県は、先日ようやく玉城県知事が条例制定を検討すると述べたが、これまで何もせず現在に至ってしまっている。また沖縄県外の出来事であるが、埼玉県は朝鮮学校へのマスクの提供を一度拒否しており（のちに撤回）、コロナ禍を契機とした排外的ナショナリズムは全国的にせり上がっている。これらのことからも私の危機意識は高まるばかりである。

もちろん強行すれば移動はできるのだし、排除による強制的な退去を「移動」と見なすこともできよう。しかしながら今回の「自粛」に対して特定の人々が感じ取っているのは、移動することへの心的な抑制にとどまらない、政治的な理由からの生命の危機であることは間違いない。ウイルスと他民族を重ね合わせようとする言説が大手を振るうなか、「自粛」は「粛清」と紙一重である。その意味でウイルス禍は一つの純粋な現象ではなく、経済活動、歴史の否認、そして権力システムと連動しているのである。

加えて政治と新型コロナウイルスに関連する沖縄の特殊な事情として、米軍基地の存在を忘れてはならないだろう。報道があったように、嘉手納基地内で米軍関係者三名の感染が確認されている。当然ウイルスは基地の内と外を区別するわけではない。

しかし問題なのは、米軍内での感染者情報の開示が米軍の意向次第だということである。名護市辺野古や金武町（きんちょう）、そして北谷町（ちゃたん）では米兵の姿が見えなくなり飲食店やタトゥー店などが悲鳴をあげていることや、嘉手納基地では米兵、軍属、従業員の子どもたちの基地外へ通園・通学を禁止している（日本国籍の従業員には要請）ことから、米軍が神経を尖らせていることまでは報道でわかる。しかしそれ以上の基地内での感染情報は、管見の限り沖縄では現れていない。だが米国内四一州のうちの一五〇の軍事基地で感染があったと報じられ（https://www.newsweek.com/exclusive-first-public-map-reveals-military-bases-coronavirus-cases-pentagon-secrecy-draws-1496951）、「世界の米軍、コロナ感染者1カ月で33倍　計8186人に」（https://www.okinawatimes.co.jp/articles/-/564997）といった報道からすると、米軍がまるごと感染し麻痺しているのではと考えさせる出来事が世界的に起きており、そこからすれば沖縄の米軍基地内でも新型コロナウイルスが蔓延していたとしてもおかしくはない。今年三月末、エスパー米国防長官が米軍の海外での移動を六〇日間停止する命令を出しているが、これなども感染防止であると同時に拡散防止を意味するものと読むこともできよう（https://www.okinawatimes.co.jp/articles/-/552047）。

そうであれば、外出制限があったとしても基地の外で見かける米兵およびその関係者がゼロではないことからすると、沖縄は「緊急事態措置」だけでは制御困難な感染リスクを抱えていることになる。感染拡大には軍事的な要因もあるのである（そもそも米軍基地がこれまでもたらした環境破壊が、ウイルスの拡散と全く無関係と言えるものだろうか）。

しかしながら沖縄は、大々的ではないものの、そのような政治化するウイルスがもたらす恐怖を解除するための可能性がすでに生まれている場所でもある。と同時にその可能性は人と人との接触によって拡大しているとさえ考えられる。それは資本の流れに比べると弱々しいかもしれないが、ゆっくり何かを変えていく潜在的な力となっている。その意味で資本の急激な流れと人々の動きのあいだには断層が走っているように思われる。

3　接触する歴史と現場

新型コロナウイルスを契機とする排外的ナショナリズム、歴史の否認、そして他者を抹消しようとする危機を克服していく可能性の現れとして、近年の沖縄の文学者たちと韓国の人々との交流について紹介しておきたい。

ここ数年、沖縄文学の韓国語訳がかなり進んでいることもあり、文学をテーマにした交流が盛んになっている。翻訳に先鞭をつけたのは雑誌『地球的世界文学』であり、大城立裕、又吉栄喜、崎浜慎といった作家たちの作品が掲載された。その後、『沖縄文学の力』や『沖縄文学選』といった作品集や、崎山多美『月や、あらん』、目取真俊『眼の奥の森』といった個々の作家の単行本も翻訳紹介されている。その際、単に沖縄の文学が翻訳されているのではなく、作品が設定している戦争の記憶や米軍基地問題が注目されて紹介されている。『月や、あらん』が元「従軍慰安婦」らしき女性を登場させ、『眼の奥の森』が沖縄戦、米軍基地問題をその主題にしていることから翻訳されたようにである。もちろん沖縄文学史の関心から作品が選ばれることも当然ある。しかし選定の主要な基準に歴史認識や基地問題があることは間違いない。沖縄と韓国の歴史や軍事暴力の被害を重ねる視線がそこにはあるのである。

そのような翻訳の進展にともなって、沖縄の作家を韓国に招待することが増えている(例外的に大城立裕は一九六六年に韓国を訪れている)。たとえば二〇一九年に韓国・慶熙大学に設立されたグローバル琉球・沖縄研究センターは、創設イベントで大城貞俊を招聘し、伊波普猷と沖縄近現代文学の歴史についての議論がなされた。その他にも崎山多美や崎浜慎も招待され、韓国を訪れている。

そのようななか、歴史や軍事暴力の重ね合わせによる排外主義の克服という点で注目に値する出来事は、二〇一八年四月、済州四・三抗争七〇周年全国文学者大会および『眼の奥の森』翻訳記念セミナーに目取真俊が招待されたことであろう。これには筆者も同行した。

全国文学者大会——南北朝鮮の首脳が三八度線を行き来した日——では、目取真は高江ヘリパッド建設、大阪府警の「土人」発言、そして辺野古大浦湾で進む新基地建設といった比較的最近の基地問題を映像も織り交ぜて大きく取り上げた。

他方で大学入学した頃から社会運動に関わっていったことも語られたが、それは沖縄が、朝鮮戦争やベトナム戦争の際に加害の側で加担していたことへの痛切な痛みがあったからだと述べた。つまり被害者にも加害者にもならないために学生時代から反基地運動をし、現在においても辺野古新基地建設反対に関わり続けていることからすれば、この痛みは今に至るまで目取真の思想の核にあるものであろう。講演では次のようにも述べられた。「沖縄が再び戦争の被害者にも加害者にもならないために、米軍と自衛隊の基地強化に反対し、闘い続けるしかない」(講演用原稿より)。

文学者大会の翌日には、『眼の奥の森』が韓国語に翻訳されたことを受け、「目取真俊の小説の力——沖縄文学の世界性」と題するセミナーが済州大学で開催されている。

ここでも目取真は、大学入学時から見つめてきた沖縄の運動の状況などについて興味深い話をした。七二年の「復帰」以降、経済活動が優先され運動の停滞が起きたのではないか、サルトル離れが起きたのもこの時期だったのではといった話は、沖縄と第三世界との呼応を考える上で重要な指摘であるだろう。そのほかにも大学で「国文科」を選んだ理由、シマコトバを使うことの意味、実母が一一歳のとき島に米兵が泳いでやってきた話を聞いたことから『眼の奥の森』が構想されたなど、目取真作品を読むうえで重要な話も多くされた。

このセミナーで注目に値したのは、目取真にとって、そして沖縄にとっても九五年が転換点であったという発言であろう。この年の沖縄は、戦争を直接知る世代からそうでない世代へと変わった時期であったにもかかわらず、沖縄戦の記憶が蘇った年でもあったという。言うまでもなく米兵による凄惨な暴力が起こったためであるが、事件が一つの契機となり米軍がいまだ存在する歴史を直接知る世代とそうではない世代のあいだの線が明確化し、そのことが結果的に記憶の回帰そして継承をもたらしたためだ。九五年の事件が大きな契機となり、二つの世代が深く接触したのだとも言える。この観点からすれば、九七年に発表された作品「水滴」はかなり興味深い。というのも九五年の事件の衝撃を背景に持つこの作品には、戦争の記憶をめぐって人と人との、そこには目取真も、さらには幽霊も含めての濃密なまでの接触が描かれているためである。

上述した加害と被害、接触という観点を踏まえて済州島での出来事に戻るならば、二つの講演で目取真は辺野古の現状に触れながら、だからこそ江汀(カンジョン)の基地問題にも言及し、沖縄と済州をつなげ重ねていた。それだけでなく全国文学者大会の翌日、目取真は実際江汀の韓国海軍基

江汀村に建設された韓国海軍基地のゲート
（撮影：呉世宗）

地を見に行っている。完成してしまった基地を見て目取真はショックを受けたと述べた。沖縄から済州島に渡り、さらに漢拏山の森を抜け、たどり着いた先に広がっていた光景があまりに辺野古とそっくりであり、韓国海軍基地に辺野古の未来を見たことが理由としてあったと思われる。私でさえ辺野古から辺野古にやってきた、そんな錯覚にとらわれた。その意味で意図しない接触がここで起こっていたのである。

目取真が訪れた日はちょうど新基地建設反対運動が始まって四〇〇〇日目にあたっていたが、日曜日だったこともあり平和センターにも、辺野古で言うところのテント村にも人がいなかった（前日に大々的な運動を行なっていた）。だがテント村近くのフランチェスコ平和センターに反対運動のリーダー的な存在である文正鉉（ムンジョンヒョン）神父がおられ、二人は短い会話を交わしている。このときの文神父の韓国社会に対する痛烈な批判は、四・三事件を悼む人々が江汀の基地問題には関心を寄せないということであった。江汀での強行的な基地建設を繰り返させないために四・三の追悼があるのではないかということだ。現在に過去を結びつけながら問題に取り組むという点において、文神父の批判は目取真のなかで響き合うところがあったはずである。また目取真は近著『ヤンバルの深き森と海より』でも「沖縄は元海兵隊員の米軍属による事件で騒然となっている。強姦殺人、死体遺棄の容疑がかけられているが、このような犯罪が起こるのを防ぐために基地に反対してきた。なんともやりきれない思いだ」と書いている（目取真俊『ヤンバルの深き森と海より』影書房、二〇二〇、三五四頁）。文神父の言葉に対する共鳴が起きる下地のような発言であろう。

江汀のテント村にある横断幕「江汀は四・三だ」（撮影：呉世宗）

このとき私にとって印象的だったのは、目取真が運用面での抗議活動は基地完成後でもできると述べたことであった。実際江汀の海軍基地には、米軍がゴミを捨てに来ており、そこに放射能廃棄物があるのではという疑いもある。そのように一つひとつに立ち向かい、最悪の光景のなかにあっても基地に反対し抗議し続けようとする目取真の発言は、加害と被害のどちらにも立たず、暴力を繰り返させないという強固な意志が現れたものであろう。しかし他方で私が目取真の発言に強い印象をもったのは、これまでの運動の経験が図らずも沖縄の外で応用されようとしていると見えたためであった。おそらく目取真のなかでは、辺野古と江汀を区別するよりも重ねる意識のほうが強かったのではないか。

つまり目取真のなかで、沖縄戦と在沖米軍基地という沖縄固有の現場と、済州島での基地問題と四・三事件という現場の接触が起こっていたのではないだろうか。このことは、自らが関わってきた現場がほかの現場との接触によってあらためて明確化し、歴史の再記憶化を促したようにも見える。学生時代の記憶や母の証言が済州島という場で語られ直されたようにである。しかもその際、ほかの現場とそこに関連する歴史が彼の中に流れ込んでいたはずである。

他者の生や記憶にはじめから連結していて、転写し合える関係を生きているということ。これこそが沖縄の文学者が提示し続けてきた可能性だと考える。そしてこの連結や相互の転写に気づくことこそが、現在のウイルスによってもたらされている政治状況を乗り越えていく可能性でもある。

このことからすると新型コロナウイルスによって移動が制限されるなか、私たちは個の内に降り立つ「移動」までも「自粛」してはならないだろう。垂直に降り立つことで、自分の内に秘められた他者、ぼんやりとであれイメージ化された他者がそこにいるはずだからである。彼／彼女たちに触れようとすること。そしてその他者を特殊で例外的な存在とするのではなく、私「たち」として受け入れていくこと。目取真俊をはじめとする沖縄の文学が提示している可能性を押し開いていくためには、まさにこの「移動」が求められる。この「移動」によって現在の現場を多様化する可能性も開かれよう。

現在「social distancing（社会的距離）」やその代理的な「physical distancing」という言葉は、他者との距離を離すことだけに主眼が置かれて用いられている。しかし「距離」とは離すだけではなく、縮めることもまたそのなかに含まれていよう。沖縄の文学者が提示した可能性からすると、現在のコロナ禍のなかで私たちに求められていることのひとつは、まずは個の内に降り立ち、そこで見いだされる他者との距離を恒常的に問い直すことではないだろうか。そこにこそディアスポラが抱え込む恐怖感を解く鍵もあるだろうし、自由に移動する権利が回復したとき、多様で豊かな歴史をもたらすのではないだろうか。

最後に金城実（きんじょうみのる）の作品を紹介して終わりたい。沖縄の「慰安婦」像である。私「たち」は彼女をどう迎え入れることができるだろうか。

（二〇二〇年五月二九日）

金城実作のアリラン歌う軍「慰安婦」像（撮影：呉世宗）

Ⅳ－2　韓国の「慰安婦」運動、そして民主化を内破する「複数の政治」

趙慶喜

はじめに

新型コロナウイルスの世界的流行とともに、今日の韓国社会は複数の社会的な変化と混乱を同時に経験しつつある。その一つのきっかけとなった出来事は、韓国で日本軍「慰安婦」運動を率いてきた韓国挺身隊問題対策協議会（挺対協）および元代表の尹美香（ユンミヒャン）をめぐって韓国内部の葛藤が顕在化したことであった。長らく挺対協（二〇一八年七月からは正義連）の代表を務めた尹美香は、二〇二〇年四月に行なわれた総選挙において、与党の比例政党から比例代表で当選し国会議員となった。その矢先の五月七日、日本軍「慰安婦」被害者・李容洙（イヨンス）さんから尹元代表と正義連に対する内部告発が行なわれると同時に、正義連の活動方式と財政問題をめぐってさまざまな「疑惑」が拡散した。この過程で尹美香と正義連に対するメディアと世論の熾烈な攻撃が展開された。

この一連の出来事は、まずは韓国政治と市民社会の大きな枠組みである保守／進歩という陣営上の対立を反映したものであった。ろうそくデモから進歩派の文在寅政権が誕生し、五八六（五〇代の八〇年代に大学に入った六〇年代生まれ）と呼ばれる民主化運動世代が韓国社会のメインストリームとなった現在、進歩派の政治家や運動家の綻びは保守勢力によって徹底的に槍玉にあげられる。尹美香と正義連はその格好の対象となった。しかし同時に、あるいはそれ以上に、この間起きたことは、民主化世代と二〇－三〇代との世代間のズレ、そしてここ数年のあいだに昂揚したフェミニズムや被害者中心の運動をめぐる立場の違いを露呈させたものでもあった。三ヶ月が経った現在もこの事態は進行中であるが、七月に入り多くの保守メディアは、尹美香・正義連についての報道訂正文を相次いで掲載した。本稿では、この一連の過程を振り返りながら、「慰安婦」運動の現在と（文在寅政権の下での）民主化の進展がもたらした韓国における「複数の政治」についての見通しを立ててみたい。

1　被害者と支援者を分断するもの

コロナ・ウイルスの流行がやや収束した二〇二〇年五月七日、元日本軍「慰安婦」被害者である李容洙さんの記者会見が突如メディアを賑わし始めた。李容洙さんといえば、被害者であると同時に活動家として、挺対協とともに「慰安婦」運動の先頭に立って活躍してきた人物であった。その記者会見の内容は国会議員となった尹美香元代表への失望、これまでの「慰安婦」運動や水曜集会（毎週水曜に行なわれた「慰安婦」問題解決のための集会）のあり方への苦言、そして日韓の若者たちの交流への希望など多岐にわたっていたが、何より衝撃を与えたのは、活動資金や国内外の募金の扱いに対する訴えであった。「集めたお金をハルモたちのために使わなかった」「挺対協に利用された」という被害当事者のメッセージは、挺対協・正義連が三〇年にかけて積み上げてきた活動の成果を一瞬で崩してしまうほどの衝撃をもたらした。

会見後から尹美香と正義連のこれまでの活動に対し凄まじい攻撃が開始された。それは魔女狩りと呼ぶにふさわしく、時には活動家たちの心と体をずたずたにするほど悪質であった。正義連は即座に被害者に支払った金額の領収書とともに反論文を提示し、また速やかに記者会見を開いて事態を収拾しようとしたが、一気にヒートアップしたメディアによる「速報」合戦を逆に加速させることになった。『朝鮮日報』を筆頭とする保守メディアは、「尹美香が家を五軒購入した」、「尹美香自ら審査委員となって一六億ウォンの政府補助金を受けた」、「寄付金を流用して娘の留学費に充てた」、「正義連が一晩で三三〇〇万を酒代に使った」などのデタラメな内容を「疑惑」として垂れ流し、日本のメディアもまた連日それをそのまま報道した。それは、日本の「嫌韓」言説の発信源が日本ではなく韓国の保守メディアにあったことを露呈したかの

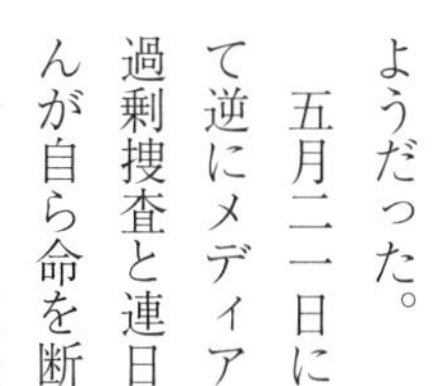

ようだった。

五月二一日には早々と正義連に対する検察の家宅捜査が始まったが、検察の強硬姿勢によって逆にメディアの白熱ぶりが収まるのではないかと期待したほどであった。しかし六月六日、過剰捜査と連日の悪意的な報道のなか、被害者シェルターである「平和の家」所長・孫英美（ソンヨンミ）さんが自ら命を断つという取り返しのつかないことが起きてしまった。会計処理の問題については今もなお捜査中で詳細が明かされてないため、憶測による記述は控えなくてはならない。事実、七月に入ると、多くの保守メディアは言論仲裁委員会の決定に基づき正義連に関する記事の訂正報道文を相次いで掲載することになった。[*1] この間、尹美香と正義連をまるで国民全体を騙した詐欺集団のように仕立て上げたメディアの責任はとてつもなく重い。

この過程で私が暗澹たる思いに陥ったのは、李容洙さんの告発のせいでもなければ、正義連が抱え込んだ不正会計疑惑のせいでもない。保守メディアが「被害者を利用して金儲けをする支援団体」という像を執拗に植え付け、李容洙さんと正

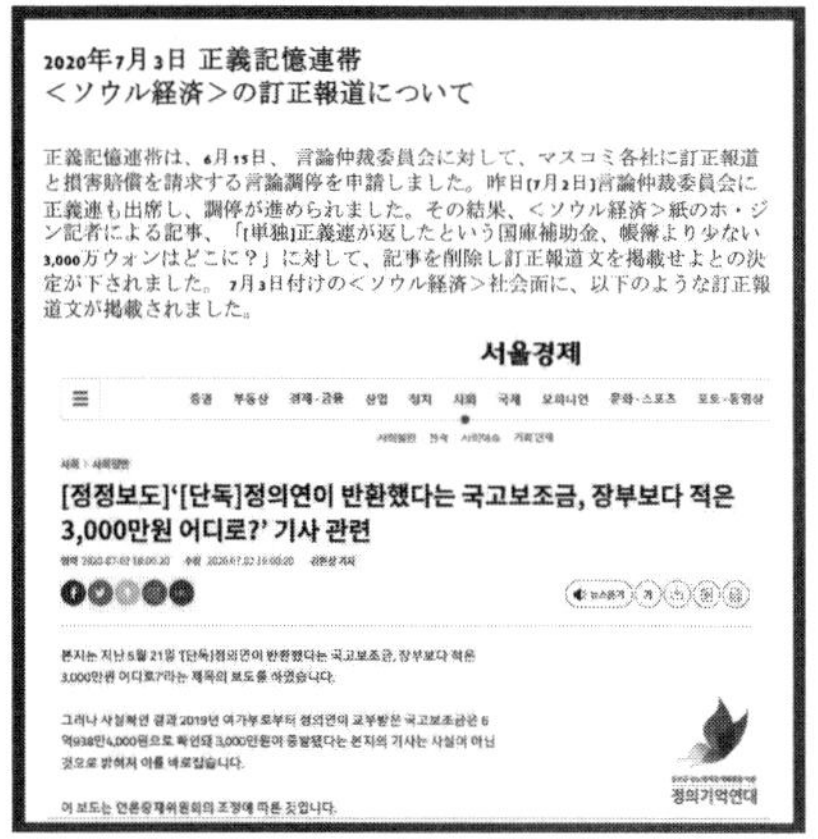

2020年7月3日 正義記憶連帯
＜ソウル経済＞の訂正報道について

正義記憶連帯は、6月15日、言論仲裁委員会に対して、マスコミ各社に訂正報道と損害賠償を請求する言論調停を申請しました。昨日(7月2日)言論仲裁委員会に正義連も出席し、調停が進められました。その結果、＜ソウル経済＞紙のホ・ジン記者による記事、「[単独]正義連が返したという国庫補助金、帳簿より少ない3,000万ウォンはどこに？」に対して、記事を削除し訂正報道文を掲載せよとの決定が下されました。7月3日付けの＜ソウル経済＞社会面に、以下のような訂正報道文が掲載されました。

서울경제

[정정보도]'[단독]정의연이 반환했다는 국고보조금, 장부보다 적은 3,000만원 어디로?' 기사 관련

본지는 지난 5월 21일 '[단독]정의연이 반환했다는 국고보조금, 장부보다 적은 3,000만원 어디로?'라는 제목의 보도를 하였습니다.

그러나 사실확인 결과 2019년 여가부로부터 정의연이 교부받은 국고보조금은 6억938만4,000원으로 확인돼 3,000만원이 증발됐다는 본지의 기사는 사실이 아닌 것으로 밝혀져 이를 바로잡습니다.

이 보도는 언론중재위원회의 조정에 따른 것입니다.

정의기억연대

保守メディアの訂正報道文の一例

義連を無残に分断してしまったことであり、その過程で尹議員と正義連に象徴される「慰安婦」運動の取り組みを、偏狭な反日主義や正義の独占であると矮小化したことであり、同様の攻撃が「慰安婦」問題にほとんど無関心であった人々によって堂々と繰り返されたことであった。

皮肉な見方をすれば、韓国社会はいつからこれほど「慰安婦」被害者の声に耳を傾け、被害者中心主義を語るようになったのか。これが「慰安婦」運動の大衆化の帰結であるのか。これまでの支援者への敬意なくして被害者を語ることがなぜできるのか。長年「慰安婦」被害者たちの証言に接してきた法学者ヤン・ヒョナの言葉を借りるなら、「〔1991年の〕キム・ハクスンさんの登場後、韓国では被害者の証言が数え切れないほど行なわれたにもかかわらず、なぜよりによってこの「証言」を多くの市民たちが一緒に聴くことになったのか、今のこの状況に胸が塞がる思いだ[*2]」。

確かに李容洙さんは正義連の運動の仕方を叱責し、尹美香元代表への深い失望を語ったが、長い月日のなかで苦楽を共にした被害者と支援者の間には、当然しがらみや相性の良し悪し、互いへの不満など、私たちの想像を超えた濃密な関係性があったと思われる。「三〇年を尹美香とやってきたのに、（最後まで）解決はするべきじゃないですか。解決もしないで国会議員だか長官だか、そこに行く尹美香を私は知りません」。この言葉からは、尹前代表が国会議員となって被害者運動から遠ざかっていくことへの失望や悲しみ、やりきれなさが十分に伝わってくる。

さらに李容洙さんは、会見を次のような言葉で締めくくっている。「私はとても寂しかった……女の身で全力で生きてきたのに、なぜこれほど寂しく生きねばならないのですか。なぜ認めてもらえないのですか。れっきとした被害者なのに……なぜ泣かなくてはならないのですか。自分の身があまりに哀れです」。この言葉を尹美香と正義連に対する告発としてのみ受け取ることがどうしてできるだろうか。記事をシェアしたり多少の募金をしただけで「慰安婦」運動に関わった気になっていた人々、あるいはこれまで「慰安婦」問題に無関心でいられた人々が取る態度としては、あまりにフェアではない。李容洙さんの悲しみは、「慰安婦」運動の過程で経験した疎外感や徒労感、証言を否定され続けた過程、そして結局は何も変わらない現実それ自体が強いたものである。そのやりきれなさを、最も近くにいる信頼した人々にぶつけるしかなかったのだと理解するべきであった。

2　陣営論を超えた複数の政治

冒頭で述べたように、正義連をめぐる事態は、何より与党国会議員となった尹美香に対する保守陣営からの政治的攻撃という文脈と切り離すことはできない。曺国(チョグク)元法相のときと同様に、保守陣営の尹美香議員への過剰な執着は文在寅政権に対すると攻撃と同一線上にある。より正確にいえば、尹美香と正義連への攻撃は、保守メディアによって「第二の曺国」プロジェクトとして企画された面を否定できないし、進歩陣営もまたそれに真っ向から対決する姿勢を見せていた。

たとえば、文政権支持者であり幅広い世代に圧倒的な影響力を持つジャーナリストのキム・オジュンは、李容洙さんの訴えについて、「記者会見の文章を見るとハルモニが書いたのではないことが明白です。文章を見ると、到底あのお年の方が書いたとは思えない用語が出てくるのがすぐにわかる」と政治的陰謀論を全面に押し出した。

こうした判断には一定の蓋然性がある。自らを棚に上げ、進歩派の政治家に高い道徳性を求めてとことん追い詰めるのは検察と保守メディアのお決まりの手口であり、その暴走がこれまで多くの悲劇を生み出してきたからだ。特に市民に幅広く愛された盧武鉉（ノムヒョン）前大統領と正義党代表を務めた魯会燦（ノフェチャン）議員の自死は韓国市民社会に深いトラウマを残した。いわゆる「チョジュンドン」（朝鮮日報・中央日報・東亜日報）などの保守新聞だけでなく、それらに便乗して進歩派の過誤を針小棒大に報じる「ハンギョンオ」（ハンギョレ・京郷新聞・オーマイニュース）に対する不信感や嫌悪感もどんどん高まりつつある。そうしたなかで、ニューメディアを駆使してフリーで活動するキム・オジュンの発信からは、与党である民主党を擁護しなければという陣営論的な使命感さえ伝わってくる。

しかし、陣営論や陰謀論の枠組みでは、もはや韓国社会のダイナミズムの半分のみを理解することにしかならない。保守／進歩という陣営的対立と同時に、あるいはそれ以上に階級・世代・ジェンダーなどによる進歩派内部の対立が日々生じつつあり、さらにいえば、いわゆるNL／PD論争[*3]と呼ばれる過去の学生運動における民族と階級をめぐる路線対立の名残も複雑に入り組んでいる。残念ながら後者の問題については本稿で扱うことはできないが、ここ数年のあいだに韓国で起きた#MeToo運動、曺国を取り巻く混乱、そして正義連の問題も、みな進歩派内部のいわゆる「小文字のポリティクス」とともに理解される必要がある。それらをいまだに「小さくて取るに足らないもの」と見なして憚らない進歩派の既得権層に対する反発が、今日新たに生成しつつある「複数の政治」の根幹にある。

たとえば、李容洙さんの会見の「背後」を問題にするキム・オジュンらの陰謀論に対して、最も右寄りの『朝鮮日報』はすかさず「ハルモニを痴呆扱いして現実を歪曲する進歩勢力」と報じた。これまで被害者の信憑性すら疑ってきた『朝鮮日報』の恥知らずな言動は、まさに「被害者中心主義」の乗っ取りであると呼ぶにふさわしい。他方で、フェミニストを中心とした進歩派の若い世代もまた、陰謀論に対し被害者の主体性を毀損するものだとして不快感をあらわにした。同じように陰謀論を批判しても、保守派とフェミニストでは追求する価値が全く異なるのは言うまでもない。にもかかわらず、進歩派の主流勢力のなかには、内部の異論を「保守勢力に同調するかのような物言い」であるとして、陣営論理に回収しようとする動きがある。若い世代をはじめ言論の周辺にいる人々は、それを拒むとともに自らの言葉が正当に位置づけられる公論の場を探している。

李容洙さん自身も「（私は）学のない人間だが、記者会見文は私が読んで書いてそうやって準備した…娘（養女）がいるからそのままきちんと書いてほしいと頼んだ…この年になってみなさい…二度とそんなことは言うな」と反発した。率直にいうと、私もまた李容洙さんの会見内容が政治の渦のなかで生まれたものであると直感した。しかしそれはある意味で当然のことでもあった。被害者であるとともに活動家として過ごしてきた彼女が、支援団体から一歩引いたところでこれまでの活動の問題点を世に問い、混乱しながらも自らの方向性を示したのである。もともと政治的感覚に優れた人でもあったと評価される。李容洙さんの記者会見を何度も見るなかで、いかに私たちが「被害者の純粋な意図」と「周囲の政治的介入」を区分し、被害者を無垢な弱者として囲い込み非主体化することに慣れているのかを痛感した。

「「背後」のない証言はない」。そう述べた文学評論家の李知垠（イジウン）の言葉を参照しよう。

> …証言はそれを取り巻くものと関係を結ぶしかない。であるならば、「背後」という陰険な言葉を再専有し、証言者の側から打ち立てることはできないだろうか。
>
> 振り返ってみると、すべての証言には「裏に隠れた背後」の聴取者がいる。…金学順（キムハクスン）ハルモニの証言が「最初の公式証言」であると記憶されるのは、金学順ハルモニが日本政府を対象に

戦争犯罪の責任を問うたからでもあるが、他方では、そうした「語りの場」を準備しハルモニの言葉を傾聴した「頼もしい背後」がいたからであった。…証言があるまで当事者ではなかった人々、戦争犯罪に反対した人々の努力が、まさに金学順ハルモニの証言の「背後」である。そうであれば、私たちは「証言の背後に誰がいるのか」を問う代わりに「どのような背後となるか」を問うべきではないだろうか。[*4]

「背後」にある陰謀を暴こうとする旧世代の男性主義的な視線に対して、「背後」を自らの言葉で定義し直し、「背後になる」ことによって被害者と証言に寄り添おうとする人々がいる。「証言の背後になる」ということは、自ら被害者の声を聴き取り、証言をバックアップすることで問題の当事者となることである。被害者と支援者、証言者と聴取者といった相互関係を一対一の平面的なものではなく、相互に支え合う立体的な経験として捉え直すということでもある。そして、私たちはこれまでこの「背後」の役割を、正義連と地域の支援団体など一部の活動家たちに過剰に負わせてきたという事実をあらためて認めなくてはならない。

正義連は別途に基金を設け、コンゴの戦時性暴力被害女性たちを支援したり、朝鮮学校に通う在日朝鮮人に奨学金を与えるなどの事業も行なってきた。それすらも不正会計「疑惑」の対象となっているが、常に奔走していた正義連がこうした地味な活動にも関わっていたのは、「慰安婦」被害者たち自身の意志、痛みを共有する誰かの「背後になる」という意志の表れでもあった。李容洙さんも日韓の若者たちに対する正しい教育と相互交流への思いを何度も口にしたように、「慰安婦」運動はただ日本政府を告発するだけではなく、痛みを分かち合いつながることを目指した運動でもあった。

3　被害者の傍にいること

三〇年前、脱冷戦とともに始まった記憶と証言の時代は、それまで水面下に潜んでいた個々人の被害を明るみに出した。その最も大きな契機が日本軍「慰安婦」被害者による証言であったことは誰もが認めるところである。そして韓国と日本、そして国際的な連帯へと広がった「慰安婦」運動の展開において、挺対協・正義連が果たした役割は計り知れないものがある。

支援者たちはただ被害者のケアをするだけの存在ではない。彼女たちは生活上の支援者であると同時に平和運動の活動家であり、市民団体の職員であると同時に「慰安婦」被害者の証言を聴き取ってきた専門家でもある。そして今やそれは専従の支援者たちだけに任されているのではない。韓国と日本の多くの市民たちは、すでに日本軍「慰安婦」被害者たちの声の聴き手としての経験を共有しており、議論をしてきた蓄積もある。韓国と日本の研究者や活動家がともに作り上げた日本語で読める書籍やオンライン資料も多数存在する。[*5] こうした蓄積が証言を支える分厚い「背後」となり、それぞれが「慰安婦」問題に関与する当事者となることを切に願う。

本稿を準備する過程で、朴元淳（パクウォンスン）ソウル市長についてのニュースに接することになった。民主化のアイコンであった現職ソウル市長の突然の自死と、その引き金となった元秘書からのセクシャル・ハラスメントの告発は、韓国社会をさらに衝撃の渦におとしいれた。本記事の内容とは全く無関係に起きた出来事であり、また性被害者が加害者を告発したという点で正義連をめぐる葛藤とは根本的に異なるが、どちらも韓国社会の民主主義が急進化するなかで引き起こされた苦痛の経験であり、またどちらも被害者と向き合うことの意味を残酷なほど真っすぐに突きつけた出来事であった。

正義連をめぐる混乱は、被害者と支援者を分断し、進歩派内部を分断し、人権や正義の理念をも分断したが、同時に旧来の政治の枠組みを超えて正義を実践する人々の存在を可視化した。それは「二〇〜三〇代」であり、「女性」であり、「学生」であり、「非正規労働者」であり、その全部であるかもしれない。固有の経験に根ざした言葉は時に攻撃的であり、それぞれの利害関係によって戦線は錯綜している。国会議員となった尹美香を既得権層と見なす若い世代もいれば、民族主義的な傾向が強いとして正義連の運動に批判的なフェミニストもいる。ただそのなかでも、「慰安婦」運動の否定ではなく、その継続のための努力を始める複数の主体が確実にある。

フェミニズム運動や世代間の葛藤を経て、韓国の民主化は複数の対立軸が絡み合うことで内

破する状況へと移行しつつある。それだけ民主主義が過剰に発動しているということであり、決して日本でよく評されるように不安定で脆弱なわけではない。多くの人々が、切れてつながることで、韓国社会の内なる民主化を模索し希求している。「どちらの側（편）につくのか」という問いに対して答えを出すのは容易ではない。それでもやはり被害者の傍（곁）から民主化や人権のあり方を考えていくこと。[*6]慰安婦運動はそれらの複数の政治とともに刷新され、より開かれたものになるはずである。

（二〇二〇年八月六日）

【注】

＊1 報道訂正文を掲載したのは、朝鮮日報・中央日報・国民日報・韓国日報・韓国経済・ソウル経済・ニューデイリーなどである。

＊2 ヤン・ヒョナ「被害者を代弁するということ――あの多くの「ハルモニたち」はどこへ」『ハンギョレ新聞』2020.6.2. http://japan.hani.co.kr/arti/opinion/36817.html

＊3 民族解放派（National Liberation: NL）と民衆民主派（People's Democracy: PD）による対立。前者が反帝国主義と反米を基礎とし民族の解放と統一を最優先課題とするのに対し、後者はマルクス主義の伝統に基づき労働者の解放と階級問題を最優先課題とした。

＊4 이지은「지속되어야 할〝위안부〟운동을 위하여（続くべき「慰安婦」運動のために）」『일다 ILDA』2020.5.13. http://www.ildaro.com/8728

＊5 アジア女性資料センターが発行する『f visions』2号（2020）では、「『慰安婦』被害者の叫びから

何を受けとるか」という特集を組んでおり、日韓で「慰安婦」運動を率いてきた人々の論考を載せている。また、筆者も翻訳に関わった証言集である『記憶で書き直す歴史』（韓国挺身隊問題対策協議会・2000年女性国際戦犯法廷証言チーム／金富子・古橋綾編訳、岩波書店、二〇二〇）は、まさに話し手と聴き手の相互作用の産物としての証言のあり方を掘り下げた成果である。また、日本語で翻訳された漫画に、『草――日本軍「慰安婦」のリビング・ヒストリー』（キム・ジェンドリ・グムスク著／都築寿美枝・李昤京訳、ころから）がある。

＊6 側（편）と傍（곁）の論理については、엄기호『단속사회』창비、2014を参照した。

Ⅳ−3　BLM運動の広がりのなかでPalestinian Lives Matterにならないのはなぜか？

早尾貴紀

はじめに

アメリカ合衆国におけるアフリカ系市民（「黒人」）への差別・弾圧に対する抗議運動、とりわけ警察官による不当な虐待・暴力に対する抗議運動が、「ブラック・ライヴズ・マター（Black Lives Matter 通称、BLM）」というスローガンのもとに活発になっており、世界的な共感と広がりを見せている。このBLM運動そのものは、二〇一二年のアフリカ系アメリカ人の高校生を自警団が射殺した事件を契機として（この殺害犯を警察が釈放し陪審員が無罪としたことに対する抗議運動として）始まったとされるが、二〇二〇年五月のアフリカ系アメリカ人のジョージ・フロイド氏を警察官が衆目のあるなかで圧殺した様子が撮影され、その動画がＳＮＳを通じて世界中に拡散されたことで、ＢＬＭ運動は一気に全米に広がり、さらに日本も含め国際的に注目され、連帯を示す運動も活発に行なわれた。

さらに同年八月には、やはりアフリカ系市民のジェイコブ・ブレイク氏を警察官が至近距離で背後から七発も発砲し半身不随にさせるという事件が発生し、この様子を撮影した動画が報道されたことにより、またしてもＢＬＭ運動は沸騰した。

この背後には、注目されたいくつかの事件にとどまらず、アフリカ系市民に対する差別や暴力が社会的に常態化していることがある。アメリカ合衆国がなおもヨーロッパ系（いわゆる「白人」）を頂点とする国家であり、アフリカ系やアジア系の市民や移民が社会の下層に位置づけられる制度的・慣習的な差別が日常のあらゆる局面に組み込まれている。そのことへの幅広い不満や鬱屈が、警察官による射殺や虐待という明白な暴力が報道されたときに大規模な抗議運動へと展開されるのであって、問題は教育や経済など社会に内在化されたレイシズムにある。

なお、このＢＬＭ運動は「黒人の命は大切だ」と日本語には翻訳されうるが、肌の色を「黒」とカテゴライズして表現すること自体がレイシズムであるという批判があるのと、日本語の大手メディアでは「黒人の命も大切だ」と訳されることが多いことに「白人の命が大切なのは当然として黒人の命も」というニュアンスがあることに批判があり、日本語にするのが難しい。ただし、「ブラック＝黒人」については、差別的他称を逆転させるために、「ブラック・

イズ・ビューティフル」「ブラック・カルチャー」といったようにアフリカ系市民自身が対抗運動を展開するなかで戦略的・肯定的に「ブラック」を自称するようになったという経緯がある。「命は」なのか「命も」なのか、さらには「命こそ」なのかをめぐっては、正解はないだろう。翻訳不可能としてカタカナあるいはBLMのままにしておくのがいい、という見解もあるが、そのニュアンスや文脈を意識しながらどの翻訳がいいのかを考えること自体は非常に重要であると思う。

1　二〇二〇年五月に起きた二件のパレスチナ人殺害

こうして世界的にBLM運動が注目されるきっかけとなった二〇二〇年五月末のジョージ・フロイド氏殺害事件と時を同じくして、パレスチナでもイスラエル人警察官によるパレスチナ人の射殺事件があり、抗議デモが行なわれた。警察官に殺されたのはイスラエルに軍事占領されている東エルサレムの男性イヤード・ハッラーク氏で、自閉症スペクトラム障害があるためにコミュケーションに支障があり、そのため警察官の停止指示に即座に応じることができなかったらしい。ヘルパーの女性と特別支援学校に向かうところであったため、この女性が代わりに「障害があるので会話が難しい」と答えたが、警察官はそれを無視し、立ち止まらなかったというだけで無抵抗のハッラーク氏に七発もの銃弾を浴びせて殺害した。警察は、ハッラーク氏の携帯電話を拳銃と誤認し、立ち止まるよう命令をしたという。

アメリカ合衆国での事件のわずか五日後の出来事というタイミングのために、東エルサレムでは抗議デモが行なわれ、その際のプラカードやあるいはＳＮＳでは、「Black Lives Matter」と並べて「Palestinian Lives Matter」が掲げられたり、ジョージ・フロイド氏の写真とイヤード・ハッラーク氏の写真が並べられたりもした。しかし、パレスチナでは実のところイスラエルの警察官や兵士による理不尽な殺害や虐待は日常茶飯事であり（ＳＮＳで流されても主流メディアではニュースにならない）、この事件はその後も絶えることのないそうした数々のなかに埋もれていってしまったように見える。

ところで、パレスチナ人に対してこうした虐殺・虐待が公然となされるのは、東エルサレムも含む軍事占領地には限らない。占領地住民で国籍・市民権がないから暴力にさらされているというにはとどまらない問題がある。この事件に二週間ほど先立って、やはり五月にイスラエルのテルアビブの病院の駐車場で、イスラエル国籍のパレスチナ人（いわゆるアラブ系イスラエル人）が警備員に殺害されるという事件が起きていた。イスラエル内のアラブ人の村に住むムスタファ・ユーニス氏は、精神疾患があって母親に付き添われてテルアビブの病人に通院していた。駐車場で警備員と揉めた際に、「ポケットからナイフを取り出そうとしたように見えた」ために、警備員四人がかりで地面に引き倒され、そのうち直接組み伏せてきた一人に対してユーニス氏が抵抗したところで、他の警備員から七発もの銃弾を浴びせられた。母親の目の前で。実は、この殺害されたユーニス氏は、筆者の間接的な知人（知っている団体のメンバーの親戚）ということもあり、一段とショックの大きな事件であった。

もちろん、実際にナイフは確認されていないどころか、ポケットに手を入れたのかさえ警備員の一方的な言い分にすぎない。この過程のうちユーニス氏が引き倒された場面から警備員が発砲する場面までが、たまたま駐車場内で通りかかった車のドライブレコーダーに至近距離で写されており、発砲音もはっきりと聞き取れた。なお、イスラエルの「警備員」は私たちの知っている一般的な警備員とは異なり、パレスチナ人による「テロ」に備えて銃で武装しているだけでなく、徴兵経験を持ち銃火器の扱いに慣れている。「怪しい」と感じたパレスチナ人に対しては容赦なく発砲することも任務の一部としている元兵士である。

さて、これらのパレスチナ人殺害事件から読み取ることのできることがいくつかある。第一に、軍事占領下のパレスチナ人であれ、イスラエル国内のパレスチナ人であれ、パレスチナ人である以上はイスラエルでは潜在的に「敵」「異分子」と見なされていること。第二に、その潜在的「敵」は、「不審な行動」によって一方的に簡単に殺害されること。第三に、国際社会はそうしたイスラエルの政策を容認し、命の軽重の差別を容認していること。加えてこの二件に関連して言えば、障害や精神疾患を持つパレスチナ人は、それだけでその言動の特徴ゆえに、イスラエルの兵士・警官・警備員によって「不審」視されやすく、いっそう逮捕・虐待・殺害のリスクが高いと言えるだろう。

2　イスラエル建国後のパレスチナ人迫害の展開

SNSによる当事者たちの発信力が高まっているためもあってか、パレスチナ／イスラエルにおける日常的な暴力は、映像付きでほぼ毎日なにかしらのかたちで報告されている。感覚的に言えば近年のこと、とりわけイスラエル建国七〇年を迎えた二〇一八年頃からで、そのあたりからエルサレムへの米国大使館の移転（つまり軍事占領地である東エルサレムを含むエルサレムを米国が首都と認めたこと）、軍事占領下にあるシリア領ゴラン高原を米国がイスラエル領と認めたこと、ヨルダン川西岸地区のユダヤ人入植地をイスラエル領へ併合する方針を米国が容認したこと、などの大きな動きがあり、それに対してパレスチナ人側の抗議行動も増え、またそれを弾圧するイスラエル軍兵士や、傍若無人に振る舞うユダヤ人入植者の暴力も増えていったように思われる。

SNSで連日流れてくる暴力の映像は主に、①東エルサレムも含む西岸地区での家屋破壊、②西岸地区の検問所や東エルサレム旧市街などでのイスラエル兵による尋問時の暴行・虐待、③西岸地区のパレスチナ人住宅への急襲と拉致・投獄、④通学するパレスチナ人の学童・生徒に対するイスラエル兵や入植者の妨害・暴行、⑤イスラエル兵やユダヤ人入植者によるパレスチナ人の農場の破壊（オリーブ林の伐採・放火や農地の汚染や家畜の殺害）、⑥パレスチナ人の非暴力のデモに対するイスラエル軍の容赦ない弾圧、⑦ガザ地区への日常的な空爆、などがある。流血や破壊をともなう映像が毎日何件もSNSには投稿されており、正直もはやそれを一つひとつ丁寧に見たり、その詳細を追ったりする気力は失われてしまった。流血をともなう暴行場面の動画を見るのは気分も悪いし、投稿の数が多すぎて「またか」といううんざり感があるためだ。それほどに、パレスチナにおけるイスラエル軍・入植者による暴力は蔓延し常態化しているのだ。

だが、少し考えてみれば、これはなにも近年の出来事とは言えない。思い起こせば、私が第二次インティファーダ（民衆蜂起）下のエルサレムに在住時（二〇〇一－〇四年）は、まだSNSも動画投稿も一般的ではなく（facebook、Twitter、Youtubeともに普及は二〇〇〇年代後半から）、私自身が現地からメーリングリストやブログで上記のような暴力の実態をおもに文章に頼って発信していた。当時はインティファーダへの弾圧で、イスラエル軍・警察による暴力は確かにエスカレートしていたし、老若男女の別なくパレスチナ人を暴行・殺害しても平然としていられるどころか、虐待を楽しんでさえいる兵士らの良心の麻痺、モラルハザードも当時から指摘されていた。

さらに振り返れば、ヨルダン川西岸地区とガザ地区が軍事占領下に置かれたのは一九六七年の第三次中東戦争からであり、ユダヤ人入植地の建設はそこから始まっている。入植は土地の収奪である以上、つねに軍隊と暴力がともなっていたし、入植地の配置も、すでに将来的併合を念頭に置きながら決められていた。その占領地での抵抗運動は、二〇〇〇年からの第二次インティファーダ時にはイスラエル国内のアラブ人地域にも広がり、イスラエル軍は容赦なく「自国民」であるはずのアラブ系イスラエル人（パレスチナ人）を弾圧し、多くの死傷者を出した。そのアラブ系市民が最も多い北部ガリラヤ地方は、イスラエルが建国された一九四八年から一九六六年にかけては厳しい軍政下に置かれ、イスラエル国籍があるにもかかわらず移動の自由さえ奪われていた。先住パレスチナ人はその存在が潜在的「敵」と見なされていたからだ。

時期時期に応じて抵抗と弾圧がエスカレートするなど波があるものの、本質的には、一九四八年のイスラエル建国と一九六七年の西岸・ガザ占領に暴力の起点があるのは疑いない。近年、ことに増加・悪質化が進んでいるように感じられることには、二〇一八年＝建国七〇年を契機としたエスカレートとＳＮＳによる発信の活発化があるためであって、本質的な変化があったわけではない。

3　レイシズムの起こりと歴史

しかし、活発となったパレスチナ現地からの発信を、私たちは受け止めることができていない。ＢＬＭ運動が全米化し、世界に共感を広げたのに比べると、「テロをするパレスチナ人が悪い」「イスラエルには自衛権がある」という偏見と短絡が改善される兆しは見られない。アメリカ合衆国のアフリカ系市民（「黒人」）についても、「暴力的だ」「（潜在的）犯罪者だ」といった不当な偏見にさらされてきたし、いまでも根深くそうした言説が流通している。「同じ人間ではない」「殺してもかまわない」という命の軽視ゆえに、停止指示に従わない、ポケットに手を入れるといった挙動一つで射殺される危険に日常的にさらされているのも共通している。だが、公民権法成立（一九六四年）から半世紀以上を経てようやく、何千人もの理不尽な犠牲者を出しながら、「ブラック・カルチャー」のさまざまな文化政治の実践を重ねていくことで、ようやくＢＬＭの世界的支持にまで発展してきた。

それに比べて、パレスチナ人の命の軽視という冷淡さはどういうことだろうか。ここで暴力を正当化する根本的な価値観である、命の差別化、すなわち人種主義（レイシズム）に焦点を当てて考えてみたい。というのも、虐待や殺害を正当化し容易にするのは、「ヤツらは同じ人間ではない」という差別思想が根底に共有されているからだ。しかも、レイシズムの歴史的起源を遡ると、欧米における黒人差別は、イスラエル建国につながるヨーロッパの反ユダヤ主義と深く連関していることがわかる。まずはそこから振り返っておこう。

欧米社会がアフリカ人の奴隷化を始めたことは、一四九二年のコロンブス船団のアメリカ到達に端を発する。すなわち「新大陸」の植民地化と、そこでのプランテーション経営に奴隷労働力をアフリカから購入することになった、大航海時代の始まりである。南北アメリカの先住民たちもヨーロッパ人からは「同じ人間」とは見なされず、文化・社会を持たない「野蛮人」

扱いをされ、それゆえに虐殺・収奪を正当化された。「同じ人間」ではないのだから、土地の所有権もないし人命の尊重も必要ないというわけだ。植民地支配には必然的にレイシズムがともなう。そのアメリカ植民地に連れてこられたのがアフリカ人奴隷であり、現在の「アメリカ黒人」のルーツだ。アフリカ人はその肌の色ゆえに農園主にとっては奴隷の識別・管理がしやすく、そのために「黒人」という肌の色によるカテゴリー化ができた。つまり「黒人」というのは、単純に見た目の肌の色を指しているのではなく、最初から「奴隷」のカテゴリーとして生み出されたことに注意を要する。植民地経営のために人間性を否定され、売買対象とされたのであった。奴隷狩りから、奴隷船での運搬、奴隷労働の残酷さについては言語に絶するものがある。「同じ人間ではない」というレイシズム抜きにはありえない。

さて、この〈一四九二年〉には別の歴史的な意味がある。一般には「レコンキスタ」と言われる、キリスト教勢力によるイベリア半島（スペイン）の再征服のことで、数世紀にわたってアラブ・イスラーム治下にあったイベリア半島を徐々に奪還し、最後の領地を陥落させたのがその年であった。このことの決定的な転換は、イスラーム治下ではキリスト教徒もユダヤ教徒も緩やかに共存していたところから、キリスト教支配下ではムスリムとユダヤ教徒は一掃され、純粋なキリスト教社会へと変質したところにある。その過程で、ほとんどのムスリムはオスマン帝国などイスラーム圏へと追放されていったが、ユダヤ教徒の場合はユダヤ教国家がないために、事情がより複雑であった。どこかに移住（追放）するか、キリスト教徒に改宗するか、どちらかを迫られ、ヨーロッパ各地の都市部や中東地域へと移住した人々も多かったが、移住できない場合はキリスト教へ改宗するしかなかった。

この移住・改宗の期限（一四九二年七月末日に二日間の猶予を加えて八月二日）の翌日（八月三日）にスペインを出航したのがコロンブス船団であったが、その乗組員の大半がユダヤ教徒であったのは（コロンブス本人にもユダヤ系説があるが不確かである）、レコンキスタと無関係ではない。まさにユダヤ教徒追放令によって、コロンブス船団は新天地を求めて大海原へと出ていったのだ。その後、航路が定まると、多くのユダヤ教徒が南北アメリカへと渡っていくこととなる。

それと同時にキリスト教国家スペインで進んでいたのは、改宗ユダヤ人（つまりキリスト教徒に改宗した元ユダヤ教徒）の「人種化」であった。改宗が集団的かつ強制的であったからこそ、偽装改宗が疑われたり、信仰が変わったとしても「血は変わらない」と疑われたりした結果、「純粋なキリスト教徒」と区別して、「血統的にはユダヤ人の改宗キリスト教徒」という蔑視が生まれていく。これが「血の純潔」思想、つまりもう一つの人種主義の始まりである。これはスペインにとどまらず、ヨーロッパ・キリスト教社会に広まっていくことになる。

こうして〈一四九二年〉は、南北アメリカ先住民および黒人奴隷に対するヨーロッパの「外なる人種主義」と、ユダヤ教徒／ユダヤ人に対するヨーロッパの「内なる人種主義」の両方の起点となり、この二つの人種主義が密接に連関していることを示している。

4　レイシズムの転移と継続

レイシズムは、一八世紀から一九世紀にかけての啓蒙思想と科学主義、それと国民国家、この重なりによって、新たな段階に入っていく。一方で啓蒙思想によって、黒人の奴隷化とユダヤ人の隔離とが非人道的だとして批判されるようになり、「奴隷解放」と「ユダヤ人解放」が議論されるようになる。ところが他方で、科学主義によって、「人種」が生物学的に分類可能とされ、国民国家の台頭に合わせて「国民」の規定に人種区分が適用されるようになる。すなわち近代国家のナショナリズムは、たんなる国民統合への意識ではなく、「本来的」なマジョリティ国民がそうでない「周辺的」なマイノリティを差別・序列化することを含み込んだものであった。その結果、奴隷解放とユダヤ人解放の理念はマジョリティ国民に反発を受けて挫折させられ、二〇世紀にかけて白人至上主義や反ユダヤ主義が高まっていくことになる。

いずれも二〇世紀前半に最大の興隆を見せたアメリカ合衆国のクー・クラックス・クラン（KKK）やドイツのナチズムについては周知の事柄が多いので、本稿ではその展開を追うことは省略し、イスラエル建国期以降のパレスチナ人迫害に話を急ごう。

イスラエル国家のパレスチナ人迫害について、しばしば次のような質問をされることがある。「どうしてホロコーストで人種差別や虐殺という悲劇を経験したユダヤ人が、イスラエル建国時の戦争や建国後の軍事占領でパレスチナ人の迫害ができるのか」、と。この疑問自体が、イスラエル建国を「ホロコーストの贖い」と捉えてしまう誤解から生ずる短絡である。建国を支持した欧米各国がホロコーストの贖いとして動いた側面はあるだろうが、建国運動であるシオニズムそのものは、一九世紀の国民国家と人種主義の時代のヨーロッパのなかから生まれたそのひとつのバージョンである。国民国家と人種主義によって排除されたユダヤ教徒／ユダヤ人が、「それならば自分たちも国民となることができる独自の国家を」と求め始めたことに端を発し、そのユダヤ人規定は外からの（差別的な）人種主義であったものを自らの内に取り込んだもので、いわば「自己人種化」させていったものである。すなわちシオニズム自体が、その出自からしてヨーロッパのナショナリズムとレイシズムの混合物なのだ。

したがって、ユダヤ人の国家であるイスラエルにおいて、マイノリティのパレスチナ人市民に対しても軍事占領下にあるパレスチナ人住民に対しても「同じ人間ではない」という人種主義を内面化している以上、相手がパレスチナ人であるという理由で暴力を振るっても自分たちの良心が咎めることもなく、自分たちが罰せられることもない、という価値観が深いところでイスラエルのユダヤ人には共有されてしまっている。実際にどんな理不尽な暴力をパレスチナ人に行使したところで（気まぐれに射殺してさえ）、イスラエルの兵士や警官や警備員や入植者が厳罰を受けることはない。すべては「治安」「防衛」の名目で正当化されている。そして本音のところにあるのは、パレスチナ人は人間ではない以上、奪ってもいい、殺してもいい、というレイシズムなのだ。

これを象徴する現象は、「パレスチナ人（アラブ人）は動物だ」という言説だ。これはイスラエルのユダヤ人の口から頻繁に語られる常套句である。長編ドキュメンタリー映画『ルート181・パレスチナ〜イスラエル 旅の断章』（ミシェル・クレイフィ&エイアル・シヴァン監督）の冒頭場面から、パレスチナ人労働者を雇う建設現場監督のユダヤ人が吐き捨てるように語っている、「ヤツらは動物と同じだ」と。新聞でも繰り返し、イスラエルの政治家が公の場でパレスチナ人を「動物」呼ばわりしたことが報じられるが、この種の発言がなくなることはない。これが現在もなお一般に流通している認識と言説だからだ。特定の集団を「動物」と表現するのは世界のレイシズムに広く見られる現象である。「家畜」や「猿」で表現することも多い。イスラエルにおけるパレスチナ人認識もこの典型例なのだ。

おわりに

最初にも書いたように、ＢＬＭは世界化したが、「Palestinian Lives Matter」のスローガンは残念ながら広まってはいない。「ジョージ・フロイド」の名前は世界に知れ渡ったが、「イヤード・ハッラーク」の名前はパレスチナ人にしか知られていない。「ムスタファ・ユーニス」にいたっては、まさに射殺された瞬間の動画があるにもかかわらず、彼の地元の村での集会以外では抗議の声も上がっていない。この差を考えなければならないし、またこの状況をどうすればいいのかも考えなければならない。

このことに関して、たとえば「Korean Lives Matter」(在日朝鮮人の差別に対して)や「Papuan Lives Matter」(インドネシアのパプア人の差別に対して)といったスローガンを並べる試みも見られた。BLMの持っている訴求力ゆえであろう。しかし他方で、冒頭でも触れたように「Black」という言葉ひとつからして意味の戦略的転換の結果獲得したものであり、また「Black is Beautiful」などと並んで、BLMが黒人による反差別運動の固有の文脈で生まれ広がってきたということは非常に重要である。したがって、「Black」のところに単に「Palestinian」など別の集団を代入することで同じような訴えができるわけではないし、安易な代入には批判的な意見もある。

とはいえ、BLM運動への共感はあらゆる差別への気づきと、そしてその差別廃止への取り組みに開かれていることは事実であるし、そうすべきだ。そうでなくては、真にBLMを理解したことにはならない。日本であれば、在日朝鮮人の、沖縄の、アイヌの、難民や非正規滞在者の、置かれている状況に結びつけてBLM運動は理解されていくべきものだろう。その力はいまだ弱くとも。

パレスチナでは残念ながら、圧倒的なイスラエルの人種差別がむしろエスカレートしているのが実情だ。イスラエルの行使するパレスチナ人への暴力に対して世界が特別に寛容であることの背後には、ホロコーストに頂点を極めた反ユダヤ主義に対する後ろめたさ、イスラエルを欧米の同盟国と見なす連帯感、マジョリティのユダヤ人がヨーロッパ出自であることへの一体感、欧米圏と共通している白人至上主義、反アラブないしイスラーム嫌悪の感情、などを指摘することができるだろう。これを乗り越えるのは途方もなく困難である。

ＢＬＭ運動の強力さの背景には、超大国としてのアメリカ合衆国それ自体の大きさと強さがあることも確かだろうし、パレスチナの無力さの背後には、その超大国がイスラエルの最大の庇護国であることもあるだろう。しかしそうだとしても、ＢＬＭが白人至上主義、奴隷制の歴史、ひいては植民地主義や欧米中心主義に対する抵抗運動であるならば、ＢＬＭ運動の成功は必ずパレスチナ／イスラエルにおける人種差別を終わらせることにつながっていくはずだ。BlackにPalestinianを代入するのではなく、ＢＬＭに共感と支持を示し「Black」の歴史に学びながら、パレスチナ人の粘り強い抵抗について、その表現とそれへの連帯のかたちを模索し続けること。日本でそれを考えるのであれば、イスラエルによるパレスチナの迫害が、世界のアフリカ系（黒人）への差別とともに、在日朝鮮人や沖縄やアイヌへの差別へと接続していることを見いだしつつ、そのすべてを連関させて批判する視点を持つこと。これしかないように思われる。

（二〇二〇年九月一〇日）

【参考文献】

赤尾光春・早尾貴紀編『ディアスポラの力を結集する――ギルロイ・ボヤーリン兄弟・スピヴァク』松籟社、二〇一二年
徳永恂『ヴェニスのゲットーにて――反ユダヤ主義思想史への旅』みすず書房、一九九七年
ジョージ・M・フレドリクソン『人種主義の歴史』李孝徳訳、みすず書房、二〇〇九年
『季刊前夜 別冊 ルート181・パレスチナ～イスラエル 旅の断章』NPO法人 前夜、二〇〇五年

鼎談——声に耳を澄ませたあとで

司会　これまで、「残余の声を聴く」というタイトルのWebマガジンで、それぞれ沖縄、韓国、パレスチナに視点を据える三人の方に、二〇一九年春から二〇年秋まで、リレー形式で連載をしてきました。リレーですから、そのつど一人ずつ走っていただいたのですが、今日はリレーを走り終えて、それを振り返って補うためにも三人で鼎談をしたいと思います。しかし、残念ながら二〇二〇年以来猖獗を極めたコロナ禍のために、三人の方にリアルに集まって議論することはできません。Webマガジンでのリレー連載も新しい試みでしたが、今日は、さらにリモート（Zoom）で鼎談を行なうことにしました。

まず、それぞれ連載を終えて、その感想と補いたい点についてご発言をお願いしたいと思います。連載順で呉さん、趙さん、早尾さんの順によろしくお願いします。

呉世宗　あらためて連載を読み直すと、早尾さんの序論がこのリレー連載全体の明晰な枠組みを提供しています。考えるべきことの第一に思想的な後退状況がどのように、いつから生じているのかを検討すること。第二に時代の流れのなか消されつつある「残余の声」を拾い上げること。三人の論考は、比重は異なるものの、この二つの観点をベースにしながら、沖縄、韓国、パレスチナという三地点での「残余の声」を聴き取り、「歴史的視座」と「植民地主義／ポスト植民地主義の流れ」から「情勢の変化やその歴史的意味」を探るものとなっています。

私が執筆した四回を振り返ると、一回目は「オール沖縄」と翁長雄志前沖縄県知事の歴史認識にも関わる問題について論じました。二回目は沖縄と韓国に駐留し続け、自らの世界戦略に応じて基地の再編を行なう米軍について取り上げ、そこでも歴史的問題が横たわっていることを指摘しました。三回目は、現在進行形で行なわれている、沖縄戦で亡くなられた朝鮮人の遺骨発掘について紹介しました。最後の第四回目は、新型コロナウイルスと沖縄について、またこの困難な状況のなかで沖縄と朝鮮がいかにつながりうるかを目取真俊に触れながら書きました。いずれの回も沖縄と朝鮮に関わる事象を歴史的視座から見ているのがわかります。沖縄が組み込まれている植民地主義的な構造を内側から変えていこうとする運動や、外部世界とつながりながら脱植民地化の可能性をもたらす出来事に注目したのも、沖縄が持つ可能性を歴史的観点から探ろうとしたためでした。連載終了後のいくつかの状況に触れながら少しだけ加えたいと思います。

まず菅義偉が首相になってからにわかに取り上げられている、二〇一五年当時官房長官だった菅と「オール沖縄」の象徴とでも言うべき翁長雄志のやり取りです。菅は、翁長前知事と基地問題について何度か会談を持っています。そこで翁長が沖縄戦やその後の沖縄の歩みについて語ったところ、菅は「私は戦後生まれなものですから、歴史を持ち出されたら困りますよ」と述べたといいます。それに対し翁長は「お互い別々に戦後の時を生きてきたんですね。どうにもすれ違いですね」と応答しました（翁長雄志『戦う民意』角川書店、二〇一五年、六二頁）。もちろん菅の発言は沖縄の歴史に対する冷淡な態度を表しており、沖縄戦をもたらした日本政府の戦争責任を不問に付すものです。とはいえ翁長の「別々の戦後の時を生きた」という発言に、そしてそれが高く評価される傾向に対し、私は率直に言うと違和感を持っています。二人の歴史認識がずれており、葛藤をもたらしているのは事実です。しかし沖縄県知事になる以前、普天間基地の県内「移設」を推進したのは翁長ですし、そして、第三二軍司令部壕の説明板から「慰安婦」などに関する記述を県が勝手に削除した際、翁長は当時の仲井眞弘多県知事の右腕でした。県知事になった翁長は基地「移設」に関しては責任を取ろうとしたように見えますが、歴史的な語りを得意とする政治家にもかかわらず、翁長県政の間に説明板が元に戻されることはありませんでした。つまり私の違和感は、翁長の「戦後」認識は、朝鮮に目を向けない点で、言い換えると沖縄の被害だけを見ている点で、他者不在の菅の歴史認識と重なるところがあるのではないかということです。沖縄が自らを外に開いてきた歴史や、その可能性を考えるとき、翁長のアジアに対する視線の不在を看過してはいけないと思います。歴史認識に関連して言うと、つい先月（二〇二〇年九月末）、自民党所属の沖縄県議会議員が、辺野古新基地建設問題に薩摩侵攻を結びつける玉城デニー知事の認識は「自虐的な歴史観」だと述べました。唖然とするほかありませんが、歴史修正主義の波は沖縄でも影響を及ぼし始めています。だからこそ英雄視される翁長の発言も丁寧に批判していく必要があります。

米軍基地問題に関して言うと、つい最近も汚染物質となる有機フッ素化合物が含まれた消火剤が嘉手納基地から流出するなど、基地被害は深刻なままです。何よりも辺野古新基地建設問題ですが、よく知られているように海底が軟弱地盤なため建築はほぼ不可能なのです。にもかかわらず、コロナ禍であってもいまだ強引に建設が進められています。これに関連して、新たに内閣府特命担当大臣（沖縄および北方対策）に任命された河野太郎が、沖縄の振興は基地問題と「ひっくるめる」という奇想天外な「ひっくるめ論」を言いました。在日米軍基地の大部分は今もこれからも沖縄に置く、新基地建設も止めないということです。しかし、基地問題は今起きたのではなく、これまでずっと存在し続けてきたことに気づいているからこそ、「ひっくるめる」という発想が出てくるのだと思います。要するに米軍基地を強いられてきた沖縄の歴史を河野は意識しているのです。つまり基地も歴史と密接ということです。その際、歴史と基地問題は、沖縄と米国、沖縄と日本だけにとどまらない観点から見ていく必要があります。というのも、リレー連載で歴史の振り返りが多くあったように、基地や軍事暴力は韓国と沖縄、そしてパレスチナを直接的・間接的に結びつけてしまうからです。早尾さんは序論で「三点観測」ということをおっしゃいました。しかしその一点であるパレスチナは、あまりの状況の凄惨さから比較を絶しています。しかし一九四八年の済州島四・三事件と九〇万人に上るパレスチナ人の追放・虐殺が重なるような出来事としてあり、韓国での九二年の尹今伊（ユングミ）殺害事件が沖縄での一六年のうるま市女性殺害とつながり、一八年のパレスチナでの「難民帰還の大行進」が五五年沖縄の乞食行進を想起させるように、軍や暴力は私たちを現在的にも歴史的にも結び付けてしまうのです。それは受動的な結び付きと言えるかもしれません。しかしその状況からいかに他者やその歴史を迎え入れ、能動的なつながりを作り出せるか。リレー連載の中にそのためのヒントがあったと思います。趙慶喜さんの「歓待」や「背後になること」、#MeToo運動もそうですし、あるいはBLMから何を学ぶべきかといった早尾さんの指摘もです。そういった点について、今日の鼎談で話ができればと思います。

趙慶喜　私は韓国の現場から難民、ミソジニー、歴史認識、慰安婦運動を中心とする被害者と証言といった問題について論じてきました。ほとんどがここ数年のあいだに韓国で起きた現在進行形の問題です。それは、やはり韓国の民主化が成熟していく過程であると同時に、他方で社会の新自由主義化が加速化して格差社会化が同時に進行する。さらに保守政権に対するロウソク革命を経て文在寅政権が実現する過程で、民主主義の急進化と同時に、保守によるバックラッシュもいろいろな場面で現れていると思います。

韓国の近年の短いスパンで見るとそうですが、大きな歴史的なスパンで考えると、近代初期から長期にわたって蓄積された、植民地主義や家父長制、それに反共主義といった暴力が絡み合った問題が表出しているのではないかと思います。つまり現在の韓国は、ポストコロニアルはもちろんですが、ポスト冷戦、それからポスト・グローバル化など、いろんな異なる秩序が非常に折り重なった時間性のなかで複数の政治が同時に起きていて、沖縄やパレスチナという地域に刻まれてきた周辺化の暴力とは異なる面があります。近代とポストモダンのすべての問題が一挙に同時に沸き起こっているような、よくジェットコースターに乗っているみたいだと言いますけど、私としては、やはり韓国社会のそうしたダイナミックな動きをまず第一に伝えたいと考えていました。そこに自分のポジションを踏まえ、分断体制やディアスポラといった観点を加えて介入することができるのかというのは、もう一歩何か進めて考えなければと思っています。

たとえば、内部の対立が日々更新されつつある韓国で、ディアスポラや外国人問題というのは、非常に周辺化されてしまう部分がある。主流社会に介入することの根本的な難しさが一方であります。模範的と言われる韓国政府のコロナ対策のなかでも、やはり外国人やディアスポラの観点は不可視化されているわけです。在外同胞や移住民問題は特定の専門家に任すというような雰囲気がとても強くあります。こうした傾向については、リレー連載では扱えませんでしたが、韓国の民主化が持っている、やはり男性中心主義的で国民主義的な特徴だと思います。この点はフェミニズムの領域でもまた似たように指摘できます。たとえば、主流のフェミニストが移住女性とか脱北女性とかいった問題について積極的に発言することがほとんどないわけですね。そこがまた分離してしまう。一般の韓国女性に対する性暴力があまりに日常化しているので、そこに集中するんでしょうけれども、移住女性とか脱北女性へのこの慢性的な虐待とか性暴力の問題というのは非常にもう深刻なレベルなんですね。それについても特定の専門家による事案として扱われる傾向にあります。

「複合差別」とか「交差性（intersectionality）」という観点、一九八〇年代にキンバリー・クレンショーが言っていた、「女性だから黒人を代表できず、黒人だから女性を代表できない」というようなディレンマについては、まさに九〇年代の慰安婦運動のなかで、いまの在日二世の女性たちが当時初めて問題化してきたことだと思いますが、こうした複合差別の問題をまた韓国でも同じように感じています。その意味でディアスポラ・フェミニズムとか、あるいはポストコロニアル・フェミニズムとか、九〇年代から言われてきたことですけれども、あまり深められずにきているのではないか思います。ディアスポラとフェミニズムについては、早尾さんは『希望のディアスポラ』（春秋社、二〇二〇年）という本で、竹村和子さんの「ディアスポラとフェミニズム」という論文を引用しつつ、ディアスポラとジェンダー問題が根源的にどのように重なっているのかを論じておられますし、また呉世宗さんも沖縄の慰安婦について論じるなかで、たとえば呉さんが数年前に出された『沖縄と朝鮮のはざまで』（明石書店、二〇一九年）の一章を見ますと非常に複合的な交差性というのが意識的に書かれていますね。

ちょっと別の面から言いますと、たとえば韓国の女性作家チョ・ナムジュの『82年生まれ、キム・ジヨン』という作品が数年前に一五〇万部を超える大ヒットを記録して、映画化もされるなど社会現象になりました。日本でもその翻訳が二〇万部を記録しています。日本で韓国女性文学がちょっとしたブームとなりつつあって、韓国からフェミニズムを学ぼうというような視線も生まれているわけですね。もともとは韓国のフェミニストたちのあいだでは、上野千鶴子から学ぼうという姿勢がずっとありました。ここには知のコロニアリズムと言えないまでも、近代的な知の序列化みたいなものがあったと思います。やはりフェミニズムの歴史は韓国よりも日本のほうがずっと長いので、たとえば韓国のある出版社が、『スカートの下の劇場』という一九八九年の上野千鶴子さんの著作を二五年前に翻訳出版しようとした際に、翻訳者に断られたらしいんですね。こういう刺激的なフェミニズムは韓国ではまだ時期尚早だという言い方をされたらしいです。それで、二〇一二年に『女ぎらい』が出版されたとき、上野さんは「二〇年前は時期尚早といわれたが、いまはすごく同時代を生きる日本と韓国の経験がどう重なるのか読者に聞いてみたい」（韓国語版序文）というような書き方をしていました。ちなみに『女ぎらい』は『女性嫌悪を嫌悪する』という題で訳されましたが、韓国のミソジニー言説にこの本が一定の影響を及ぼしたと思います。ただ、それから八年経った現在はまったく違う状況になっているわけです。ただ、これはフェミニズムに限らずですが、日本でもろもろが停滞していて、韓国は変化している状況を、日韓の逆転現象としてのみ捉えるのは、国民的な知や文化の位階秩序を逆に強化してしまう面があると思います。

自分に引き寄せて考えると、私のような「在日」はどこに入ればいいんだという話にもなりますし、むしろ同時代的なフェミニズムの動きが日韓女性交流といった国民的枠組みをどう崩していくかという観点が重要じゃないかと思います。たとえば、慰安婦運動を通じてこういった交流を歴史化していくこと、歴史化といっても九〇年代からここ三〇年のあいだの動きとしてとらえていくと同時に、在日女性の立場から日韓交流を脱中心化していくようなことを最近考えています。九〇年代の初頭の慰安婦問題が提起された頃の在日女性たちの文章を読むと、特に二世の女性たちとって慰安婦問題が与えたインパクトがどれだけ大きかったのか、民族の問題をまず第一に語らねばならなかった時代に、複合差別の現状を自分たちの問題として受け止めた過程が感じられ触発されることが多いです。私の場合はフェミニズムとか慰安婦運動はだいぶ後から合流してきているので反省もしながら振り返っているところです。

早尾　私はパレスチナ／イスラエルを主題として四回書いたわけですが、これが一般に言われるような「パレスチナ」対「イスラエル」という対立でも、「アラブ」対「ユダヤ」という対立でもなくて、まずは現実政治においては圧倒的にイスラエル国家が核兵器から先端工業まで有する強大な国家であり、しかもアメリカ合衆国に全面的な支持・支援を受けて一層その地位を強固にしている一方で、パレスチナはもはや社会的な自立がないのみならず基本的な生存権さえ奪われており、しかもその状態が国際社会から黙殺され放置されている、ということをいくつかの切り口から具体的に掘り下げました。しかし同時に、もう一段階掘り下げれば、この圧勝しているはずのイスラエルが、逆説的ながら、あまりにも暴力的に民族的純化や領土的支配を推し進めるあまり、内部から自壊していることも示唆しました。アイデンティティも民主主義も倫理もぼろぼろになってしまっています。見た目の繁栄が虚栄と裏腹であり、全土の占領の完成がすなわちユダヤ人国家の終わりかアパルトヘイトかのどちらかへの転落だというわけです。とりわけそれがガザ地区攻撃、国民国家法、科学的人種論、歴史修正主義などに極限的に露呈しているところを見てきました。

個々の論点についてはそうだとしても、しかし、なぜここまでパレスチナをめぐる事態が全体として悪化してしまったのかについては、連載では論じることができませんでした。しかも、たんに悪化しただけでなく、悪化の背景にはパレスチナ問題が世界から切り離されて孤絶させられたということがあります。長い時間幅で見たときに、一九五〇年代から八〇年代までパレスチナは第三世界の反植民地闘争、民族独立闘争の一環としてつなげて論じられ、取り組まれてきたはずです。これは徐京植さんから聞いたのですが、野間宏編集の『現代アラブ文学選』（創樹社）なども一九七四年に日本語に翻訳されて出されたものが、民主化運動の盛んだった韓国に紹介されて、日本でよりもむしろ韓国の政治状況でこそ共感をもって読まれたそうです。ポストコロニアル状況下にあった韓国社会の課題は、戦後の第三世界の独立問題と共通する普遍性を持っていたことが認識されるわけです。

この『現代アラブ文学選』にもその翻訳作品が含まれているパレスチナ人作家のガッサーン・カナファーニーは、イギリス委任統治下のパレスチナに生まれ、イスラエル建国によって故郷を喪失し難民となった作家ですが、パレスチナ解放を主題とした作品やジャーナリズム活動のため一九七二年におそらくイスラエルの特殊部隊によってレバノンのベイルートで暗殺されてしまいます（国外難民となったカナファーニーの活動拠点がレバノンでした）。言うまでもなく、一九七二年というのは沖縄がアメリカ合衆国から日本へ「返還」される年なわけですが、「復帰」運動に対して「反復帰」論もありつつ、結果的には日米安保体制の枠組みのもと在日米軍基地が集中させられたかたちでの返還でした。すなわち、アメリカ合衆国と日本本土との二重の植民地主義を継続させてしまいます。

このようにして私たちが今回「三点観測」の形であえて試みたようなことは、以前であれば反植民地闘争の文脈で共有されたり、同時代的な並行性のなかで論じられたりしたわけですが、そうしたリンクが現在では失われてしまっています。パレスチナ／イスラエル問題はまるで世界からすっかり切り離されて、いまでは異次元世界で展開されているかのようです。それにはおそらく一九九〇年代の大きな世界情勢の変化が背景にあって、一つには一九八九年の冷戦終結と一九九一年の湾岸危機・湾岸戦争以降、欧米諸国の「仮想敵」が共産主義圏からアラブ・イスラーム圏へとシフトしたこと、そしてもう一つは一九九三年のオスロ和平合意によって、イスラエルとパレスチナ解放機構とが「相互承認」し、あたかも対等な二者間の交渉のような外観が演出され、かつイスラエルがグローバル経済の重要なアクターとなったことです。すなわち、パレスチナの占領は変わらずあるのにあたかも占領などないかのように忘却され、そしてパレスチナの「抵抗運動」は欧米世界から正当性のないイスラームの「テロ」と見なされるようになりました。

このシフトは東アジアでも共通する構図で見ることができて、脱冷戦が植民地主義の問題を一瞬浮かび上がらせながらも結局は隠蔽するように働き、朝鮮民主主義人民共和国を今度は「テロ」国家と名指すことで、沖縄の在日米軍基地を含む安保体制が正当化・強化されました。朝鮮半島の分断に対する旧宗主国日本の責任をすっかり削ぎ落としたのです。この植民地主義〈占領〉の後景化は、ようやく一九九〇年代に表面化した日本軍「慰安婦」問題を日本社会が直視するのを回避することも容易にしたと思います。

私が補足として話しておきたかったのは、〈見失われた植民地主義に抵抗するリンク〉です。各自の連載では個別具体的な「残余の声」を丁寧に拾うことを心がけてきたと思いますし、それを並べることで観測できることも多くあったと思いますが、かつての反植民地闘争のような越境的な認識や取り組みを、もう一度再生することはできないだろうか、と思っています。

呉　今、植民地主義という問題の表出と隠蔽という話がありました。植民地主義に関して沖縄で議論となるのは、やはり基地問題と関連させてです。米軍基地が沖縄に集中的に置かれているのは植民地主義的だとされ、だから「本土」は基地を引き取らねばならないと、いわゆる「基地県外移設論」とあわせて植民地主義は語られる傾向があります。しかし、日本が過去に朝鮮半島を植民地化したこと、それゆえ沖縄戦時に朝鮮人がいたことに関しては、あまり語られない。もちろん沖縄戦時に沖縄に朝鮮人がいたという記事は、主に慰霊の日前後に出てきます。しかしそのような歴史的観点からの植民地主義が前景化するということはあまりありません。その意味で沖縄固有の植民地主義問題の語られ方があります。

これに関連して、沖縄で「国民主義」という話がどこまで適用できるかということも問題としてあります。沖縄で学生たちが「自分たちは日本人だ」とさらっと言うときがあります。沖縄県として日本に併合された歴史などがあるので、逆に私が応答に困るときがあります。

他方、沖縄での国民主義あるいは国民というものを考える際、どうしても避けられないものとして復帰運動があります。復帰運動には、その当時のアメリカの抑圧的な占領政策から脱するために、沖縄を虐げてきた日本を選ぶという痛みの側面があります。日本国への復帰ではなく、憲法九条への復帰だという理屈で運動を進めたところもありますが、しかし、それもどこか、日本国を選ぶことの苦痛を和らげるための理由付けだったようにも思います。しかし六〇年代に活発化する復帰運動は、実はいまだ総括されていないというのが現状なんですね。運動の中心にいらっしゃった石川元平さんも、「いや、実はまだ総括されていないんだよ」と言いますし、復帰協も自然解散をしてしまっているところがあります。また反復帰論の一人、川満信一さんが言っているのですが、復帰というのは、復帰する先の日本とは何であり、復帰しようとする沖縄とは何であり、ひいては国家とは何なのかという巨大な問いを含んでいて、総括することと自体が非常に難しい問題としてもあります。川満さんによれば、復帰運動の総括をしないで沖縄アイデンティティの確立を唱えても、ノスタルジーにとらわれるだけであったり、あるいは国民国家の後追いにしかならない。加えて沖縄は、いくつもの離島があり、そして、地域ごとにアイデンティティが異なる場所です。「沖縄」と一括することが困難な地域だということです。つまり、復帰運動が総括していない「沖縄とは何か」にはそういう地域的な状況が含まれています。ですので、沖縄で国民あるいは国民主義というものを検討するとき、広い視野からの歴史的問題を踏まえながら、自分たちにとっての国家とか国民を考える必要がある。

もちろん国民というものに沖縄という地域がとらわれているところはあります。しかし、沖縄自体が非常に規定困難な地域でもあるので、それが逆に国民というものをどこか崩してしまうようなところが沖縄という場所にはあるように思います。沖縄とは何かを表現することの困難が、沖縄に国民主義というものを根付かせないと言えばいいでしょうか。常に疑問を持たせるように働いているように見えます。そしてそのことは、「植民地主義」を基地問題とだけ関連させるのではない観点を生み出しうる土壌となるように思います。

趙　「国民主義」というのは、やはりいわゆるナショナリズムや民族主義とはちょっと違うレベルの問題ですよね。徐京植さんも「国民主義」批判をされていますが、リベラルを自任する人たちが自分はナショナリストではないと思いながら行使してしまう普遍主義の暴力というようなものを、おそらく徐さんは国民主義と言っていたと思います。韓国ではもともと植民地支配への抵抗と結びついた民族主義が一定の進歩的な規範としてありました。もちろん、二〇〇〇年代以後はそれへの反発もあって、第三回目に書いた『反日種族主義』のような言説は最もその極端なかたちですが、民族主義への反発はまた国民主義だったりします。新自由主義の時代に国民主義が強化されるという問題は一般的に見られ、さらに韓国の場合、朝鮮半島の統一が未完のプロジェクトとしてあるなかで、そこに興味を持たない若い世代も含めて「自分たちはまだ途上にある」というような感覚が日々呼び起こされていると思います。それは具体的には、統一問題よりは民主化だったり先進国化だったりするわけですが、その感覚が国民主義の正当化につながるところがあります。

難民問題との関連で考えてみますと、「イスラームの難民は偽装であって、もともとテロリストだ」といった極端なフェイクニュースが垂れ流されたのは、もちろん保守の政治家たちが焚きつけた部分はあるにしても、それに便乗してリベラルな、しかも女性たちが難民受け入れに反対しました。韓国で人権の感受性が一番高いと言われている二〇代、三〇代の女性たちが難民に反対したのです。これは本当に今までになかったものでして、難民受け入れとフェミニズムとが対立するような奇妙な構図になってしまったわけです。なぜ反対したのかというと、常日頃から男性たちの性暴力にさらされている女性たちが、イスラームの男性が五〇〇人でも韓国に入ってくることで自分たちの恐怖心が余計に高まる、つまり、無条件にイスラーム難民を受け入れるというその言説自体が男性中心主義で、自分たちはその被害者にもなり得るんだ、というような言い方をしたわけですね。この複雑な状況のなかで、フェミニストの女性たちが掲げた論理が「国民の安全」だったことについて私は強いショックを受けました。女性であり「国民」である自分たちが守られるべきなのに、イエメン難民によって危険にさらされるかもしれないという論理を、さらに国民男性たちが利用しました。女性の恐怖心や安全を一つの根拠にして難民受け入れ反対論を男性たちも練り上げていった。このとき国民主義は早尾さんがおっしゃっていたようなレイシズムと安易に結びつきます。

さらに言いますと、日本で数年前にＳＥＡＬＤｓの活動で「国民なめんな」っていうのがありましたよね。ＳＥＡＬＤｓの活動のなかで民主主義を掲げながら国民に呼びかけて、それに対して在日外国人が反発したという経緯がありました。安倍政権のもとで原発問題や安保関連法案などを経験し、主権や民主主義そのものが脅かされているという意味で、より根源的に「国民」が重要だったのでしょう。韓国でも「ろうそくデモ」の主体として国民を立ち上げる場面が多々あります。「民衆」とか「市民」とか他の呼び名はすでに旧世代の手垢がついてしまったということでしょうか。日本は戦後民主主義を取り戻すという文脈で、韓国は未完の国民国家・先進国という文脈で、国民主義を屈託のない形で行使してしまうようなところがあります。

早尾　一九九〇年代の問題を趙さんも言われましたが、九〇年代に出てきた構図に私たちはどんなふうに規定されていたり、あるいは九〇年代になんらかの思想的な可能性がわずかでもあったりしたのか、それを展開しきれずにその可能性を潰してしまったのか。たとえばポストコロニアリズムやカルチュラル・スタディーズなどという形で、かなり批判的で強い発信力があって、社会に対して変革を求めて介入するようなアカデミズムが、もともと限界があったのか、どうして挫折したのかを振り返って見直す必要があると思うんですね。「未完の国民国家」と趙さんが言われましたが、日本では「未完の戦後民主主義」の問題です。戦後民主主義者の代表格たる丸山眞男は、ポストコロニアリズムの議論が盛り上がったときには、悪い意味で「国民主義」として、つまりその無自覚なアジア軽視、植民地主義的歪みを強く批判されました。しかし残念なことに、今ではその議論さえ忘却されて、若い世代からすると、そもそも丸山眞男って誰?っていう状況です。最低限、戦後民主主義の本当に重要な部分を担った丸山や、大塚久雄や鶴見俊輔や竹内好といった人たちをまずしっかり踏まえたうえで、この話をしなければならない。ほかにも藤田省三とか花崎皋平とかの名前もあがるだろうと思います。九〇年代に大学生時代を過ごした僕らの世代はギリギリ、そういう人たちの持っていた問題意識は重要だよねという前提を共有しつつ、一方で、その人たちのナショナリストとしての限界、つまり、「健全なナショナリズム」なんてものがはたしてありうるのか問われるべきですが、そもそも日本にはそれが足りないというなかで彼らが求めていたナショナリズムが、しかし自国民中心主義で、男性中心主義的で、そしてエリート主義的で、さらにアジア軽視で(この点竹内好は例外的ですが)、という限界が九〇年代には指摘されていたわけです。その両義性を見なければならなかったはずですが、しかし九〇年代後半以降そして二〇〇〇年代以降はあからさまな反動化が進んで、露骨な排外主義的レイシズムと、「日本スゴイ」の気持ち悪い自画自賛とが、最悪な形で結合していく社会情勢があり、それでも比較的マシな、リベラルを自他ともに認める陣営の人たちが善意から「国民主義」に陥っていきましたね。でもその国民主義は、排外的レイシストと差異化を図り役割分担をしている、つまり共犯関係にあるわけです。

この問題をもう少し文脈を広げて、パレスチナ／イスラエルのことに関わらせて考えると、九〇年代というのは、先にも言いましたように、パレスチナ／イスラエルの文脈ではポスト冷戦、ポスト湾岸戦争という条件下にありました。そのなかでイスラエルにおいても、「ポストシオニズム」というのが流行ったんです。日本でもパレスチナ／イスラエル研究者のなかでポストシオニズム語りが注目されました。しかしポストシオニズムというのは、「反シオニズム」ではないわけです。シオニズムを駄目だと批判するものではなくて、従来のナイーブに信じられていたシオニズムをグローバル化のなかで上書きするようなものです。シオニズムというのは、連載でも繰り返し論じてきましたように、ナショナリズムであり、かつレイシズムでもある、両面合わせ持つ融合体です。つまりユダヤ人を一つの民族と見なし、ユダヤ人国家を目指すこと、その意味ではナショナリズムですが、同時に、ユダヤ人を実体的人種存在と見なし、先住アラブ・パレスチナ人を他者として徹底的に排除している点でレイシズムであることは確かです。それに対して九〇年代にポストシオニズムということがしきりに言われるようになった背景には、やはり冷戦崩壊以降のグローバル化と、それから九三年のオスロ和平プロセス、詳細は省きますけども、曲がりなりにも括弧つきで「平和」がありました。それが二〇〇〇年に第二次インティファーダが起こることでその欺瞞性は露呈するのですが、和平というリベラルな雰囲気のもとでポストシオニズムが流行る。ポスト冷戦の影響としては、崩壊した旧ソ連邦から大規模なユダヤ人移民が脱出して、「ユダヤ人国家」イスラエルに押し寄せました。さらには九〇年代のそのグローバル化で外国人労働者が東欧やアジアからたくさん入ってきて、イスラエルは現実的に多言語化・多文化化していくわけです。その状態を受けて「多様性のあるイスラエル」を肯定的に演出しようという欲望が社会に湧いてきます。つまり従来の露骨なレイシズムを振りかざしたシオニズムから、より多文化的で寛容なシオニズムへという移行なのですが、それは脱シオニズムではなく、むしろ九〇年代の現実に適応することでシオニズムを維持する言説として機能します。

結局それは差別や排外主義を反省してのことではありませんので、第二次インティファーダへの弾圧と、さらに二〇〇一年の〈九・一一〉アメリカ同時多発攻撃を受けた反テロ戦争への便乗が重なり、イスラエルは一気に反動化し、ポストシオニズムは忘れ去られていくわけです。このあたりは、九〇年代のポストコロニアリズムや多文化主義の萌芽と、その萌芽を十分に発展させることができないで二〇〇〇年代に入って反動化していったという点で、イスラエルと日本は並行しているし、世界的な文脈で連動しているのだろうと僕は見ていました。

趙　早尾さんのおっしゃった九〇年代問題は、私たち同世代の三人がみな二〇代でその時期を過ごし、思想形成といったら大げさですけれども、やはりそのなかで勉強してきた過程があるので、この一瞬のポストコロニアリズムとその後の大きな反動化の過程をやっぱり考えなくてはいけない。パレスチナや北朝鮮の問題もそうしたバックラッシュのなかで、いつの間にか考えなくてもいいような問題になってしまった、孤絶してしまいました。その背景としての植民地主義理解があらためて大事だと思います。

私は九〇年代のはじめに大学に入りましたが、その当時の感覚で言いますと、多文化主義とか、あとは在日関係でもアイデンティティ論などが流行ってまして、こんな感じで相対化されていくのかなって漠然と思っていたところはありますね。ポストコロニアリズムの波といいますか、慰安婦問題をはじめとして歴史問題の議論も始まっていて日本が開かれていくんだなというような一瞬が、いま思えば錯覚だったんでしょうけどもあった。でも戦後五〇年があれほどの折り返し点になるとは思いませんでした。九五年はさまざまな出来事があった年ですが、在日朝鮮人問題でいうと最高裁の外国人地方参政権を認める判決がありましたし、慰安婦問題でいうと政治的な妥協としての国民基金（アジア女性基金）がありました。現在の地点から見ると、「戦後五〇年」を総括するという動きのなかで、グローバル化と国際的な人権体制の中に戦後日本をうまく接合しようとした、東アジアの歴史問題をうまく縫合しようと試みたのが、結局それがその後に綻びたというように見えるんですね。またフェミニズムの文脈では、九五年に北京女性会議があって、日本から五千人ぐらいが参加して、その後女性学講座ができたり、男女共同参画基本法が制定されたりして、二〇〇〇年代になると反フェミニズムのジェンダー・バックラッシュにみまわれる。結局私たちがあらためて問題とすべきは、右傾化の問題そのものではなく、そこに抗う力を蓄積したり育てられなかったということになると思います。沖縄では九五年に少女暴行事件が起きました。沖縄の文脈ではどのようなことが言えるでしょうか。

呉　先ほどの早尾さんのポストシオニズムの話がとても興味深かかったです。ポストシオニズムというのは和平も希求し、多文化に開かれたものだとタテマエ的に言いつつも、結局のところシオニズムを肯定していくということでしょうか。そのため恣意的な多文化への開き方、あるいは恣意的な和平のつくり方だけがあって、そのなかで多文化を限定的に、そして都合よく肯定していくのがポストシオニズムの問題点としてあったのではないかなと聞きながら思いました。二〇〇〇年以降ものすごい反動が起こったという話もありましたが、そもそもこのポストシオニズムという議論の中に反動が埋め込まれていたということなのだと思います。

また、趙さんが触れられた沖縄の話ですが、多文化主義という観点から結論的に言うと、沖縄の九〇年代、そして現在に至るまでですが、多文化に開かれる側面を見出すのは難しいかなと思うんですね。趙慶喜さんの話にもあったとおり、九五年七月の少女暴行事件があって、それをきっかけに大きな基地反対運動が起こります。しかし、この基地による被害が沖縄県内の移設問題にすり替えられていくのが、現在までの三〇年です。沖縄の九〇年代は、ずっと一つの問題、基地問題を中心に流れている。それが三〇年間持続するわけです。もちろんその背景にあるのは、世界情勢に応じて変化していくアメリカの軍事戦略、基地の再編などがあります。少女暴行事件が起こる五ヶ月ぐらい前、九五年二月に「ナイ・レポート」が出ています。アジア太平洋において、兵一〇万人態勢を維持することをアメリカの東アジア戦略にするわけですね。つまり暴行事件が起こる以前、すでに再編が始まっていたのです。ですので、沖縄の九〇年代は、基地被害と米軍の再編が並走する、そういう時代だとも言えます。そしてただ並走しているのではなく、少女暴行事件が日米両政府によって利用されていく三〇年でもあるんですね。基地被害を減らしたければ県内の他の場所に移設しなさい、という脅しを日米両政府が行ない、さまざまな要求をかけてくるわけです。たとえば九六年に普天間基地は五年以内に返還するが、新しいヘリポートを県内に作れ、とかですね。あるいは九六年十二月のＳＡＣＯ合意では、返還可能な米軍基地・施設が列挙されつつも、米軍の機能を低下させない、かつ県内移設が条件とされます。そしてその直後に今の辺野古案が急浮上してきます。要するに基地縮小が実現しないまま日米軍事体制の強化のみが、少なくとも九五年から現在までずっと続いているのが沖縄の現状となります。考えてみると九五年のときは大田知事でしたけれども、そのあと稲嶺さんが出て、仲井眞さんが出て、翁長さんが出て、そして今の玉城デニーが知事になる。

仲井眞さんはのちに民意を裏切っていきますが、基本的に基地反対の民意でこの知事たちは生まれています。しかし五人の知事が登場しても問題が続いているわけです。ですが、逆からいうと、米軍基地が維持強化されるからこそ、基地反対あるいは基地撤去を求める沖縄の民意も繰り返し立ち上がってくるわけで、それがずっと繰り返されていると言えます。このような状況だからこそ、多文化に向かっていこうとするのがなかなか難しい。

連載のなかで翁長知事の発言、あるいは翁長知事の政治的な姿勢にはアジアへの視点の欠如があると批判もしましたけれども、そうならざるをえない状況が沖縄の中にあるわけです。ですが、そうであってもアジアへの視点の欠如は克服される必要があります。

早尾　いや、多文化主義的なものというのは、イスラエルでもやはり幻想的なものにすぎませんでした。ポストシオニズムももちろん幻想にすぎず、そして九〇年代の日本の多文化主義もそうです。振り返って別の視点やファクターを入れますと、日本の九〇年代というのは、ポスト冷戦であると同時にもう一つ「ポスト昭和」でもあります。これは天皇制の問題に関わります。八九年に昭和天皇が亡くなって、日本は「平成」という時代に入っていく、それが西暦で言うと二〇一九年までの三〇年間。その前の昭和天皇というのはまさに「生身の戦犯」ですから、この人が動けば、直接的に戦争の記憶に結び付くわけです。当然ながら常に戦争責任を問われ続けていたわけですけども、ところが平成になった途端に、今度の明仁天皇は直接的には戦争責任を負っていない人だということになりました。または彼のスタンスが「護憲」だとか「慰霊の旅」をするだとか、そういうことで「平和主義者」として好意的に迎えられた面があって、実際その三〇年間で天皇制そのものに対する反対という議論が骨抜きになったと思います。僕らがそれこそ大学に入る前後の時代には、天皇の代替わりに関するさまざまな儀式に対する批判があり、それから、国旗国歌法制定に対する批判も強くありました。しかし、その次の「平成から令和へ」の代替わりのときには、あまりに批判的な議論が弱く少なくなっている。日米安保との関わりでも、安保法制に反対して反戦平和を訴える人たちのなかに、当時の安倍政権がタカ派で好戦的であったがゆえに、その抵抗の拠点として「護憲で平和主義者の天皇」を平然と持ち出す人たちが多くて、正直このことに関しては驚いたというか、ものすごく落胆もしました。このあたりは国民主義の問題とも関わることですね。これが一つ。

もう一つ九〇年代というものを考える重要なファクターになるのは入管問題ですね。九〇年の入管法改訂でいわゆる日系人労働者に限定する形で労働力を入れるということをしたことには、二つの側面があって、一つは日系人の二世三世、海外移民をした日本人の実子及び実子の実子、つまり血のつながりを基準にして日本に労働目的で移住定住してもいいことにしたのは、単一民族幻想の維持のための血に基づくレイシズムなわけです。しかし現実的に労働移住する側の人たちにとっては経済的なチャンスであって、血とかいうのは日本側の勝手な思い込みにすぎませんから、ポルトガル語やスペイン語を日常言語とする多様な人々が移住し、事実上は多言語化、多文化化が進んだわけです。日本政府としてはこんなことさえ予想できなかったのか、与党政治家の河野太郎はあからさまに、「血に基づいた労働移住政策は失敗であった」と言い、そうではなく、「肌の色が異なろうと、日本に対する愛国心があり、天皇を崇拝し、日本語を喋り、日本に文化的に同化していれば、労働移住を認める、というほうがよかった」と語っています。これは露骨な生物学的レイシズムから文化的レイシズムへのスライドですね。でも、いずれにせよレイシスト的で、かつ国民主義的な発想であるということは変わりません。そしてこれは文化論によってレイシズムを正当化するというグローバルな動きとも軌を一にしてると思うんです。

さらにこの労働力問題については、その後、技能実習や特定技能というような名目での事実上労働市場の括弧つきの「開放」とも言われるような法整備が近年なされて、これに対する反対論としてたとえば上野千鶴子さんとか山本太郎さんなどの、いわゆるリベラルな人たちが、それこそ善意で、外国人労働者に門戸を広げることには反対であるということを公然と言うわけですね。上野千鶴子さんは、日本は単一民族幻想から抜け出せないで、また新たな差別を生んでしまうのだから、日本にとっても来る人にとっても不幸になるから、と。山本太郎さんは、低所得者層とか非正規雇用の人たちとか、日本の貧困階層のことにものすごく力を入れていて、政権に対して非常に批判的だけれども、だからこそ、非正規雇用の人たち、失業者のことを第一に考えろと。もちろん、この技能実習とか特定技能の制度そのものは大変に差別的なもので問題なのは確かですが、上野さんも山本さんも結局のところ「国民主義者」なわけです。そこに働いているのは善意であり、そして誰が日本人で、誰が日本に住む権利があるのかを決定する独占的な権限が自分たちにあると思ってるんですね。そこには植民地支配の歴史に続くポストコロニアルな関係性のなかで人が移動せざるを得ないことや、あるいは日本自身が長く持っていた海外植民政策の、つまりコロニアルな歴史の反作用として移住が生じていることへの観点が微塵もないのです。むしろこの眼差しこそが植民地主義的なものだと思いますが、こういう善意のリベラルな論客が発言力を持っていること、これが二つ目です。つまり、九〇年代問題を考えるうえでは、天皇制と移住労働政策というこの二つのファクターを入れる必要があると思っています。

司会　本書では、「島／辺境」ということをテーマの一つとして掲げていました。沖縄はもちろん複数の「島」ですし、日本本土から見ればまさに最も離れた「辺境」です。同時にそこは、アジアと最も接近している境界領域です。そうであるがゆえに、沖縄は植民地主義や戦争といった暴力に露骨にさらされつつ、同時に朝鮮や台湾などとその暴力の歴史を濃密に共有しているわけです。朝鮮では言うまでもなく済州島が「島」であり「辺境」なわけですが、やはり日本による植民地支配とそして解放後の四・三事件を背景とした在日朝鮮人の歴史と密接に関係しています。そこで、呉さんの論じられた沖縄戦での朝鮮人戦死者のこと、趙さんが論じられた済州島におけるイエメン難民のことを並べて考えると、さらにイスラーム難民の絡みで早尾さんの論じられたガザ地区のことを並べて考えてみると、時代も地域も状況も異なるものの、そこを架橋することで「世界（史）の構造」があぶり出されるところがあるように思います。大まかに言えば、帝国主義・植民地主義の暴力のしわ寄せが、辺境に押し付けられているという構造ですね。むしろ時代も地域も状況も異なるからこそ、通底する構造的暴力が見えてくるように思いますが、その点についてみなさんからコメントをいただけたらと思います。

趙　韓国の陸地と済州島では多くの面で構造的な格差が続いてきましたし、歴史のトラウマという点でも格差は塗り替えられていると思います。さらにカンジョン村の海軍基地やイエメン難民問題からは、矛盾をさらなる矛盾で覆い被せようとする動きさえ見られます。しわ寄せとおっしゃいましたが、歴史的に見れば朝鮮半島の現代史自体が戦後、東アジアでのしわ寄せを受けてきた面はあります。その結果、現在の韓国はポストコロニアル・分断国家・圧縮近代・新自由主義といういくつもの異なる秩序が折り重なって、かなり錯綜した問題を引き起こしています。

今年はまたコロナウィルスが拡散するなかで、「K防疫」とかいう言い方で韓国の防疫体制や行政能力を讃えるような言説が流行りました。世界的なパンデミックのなかで韓国が最も先進的で世界のモデルになりつつあるという自意識が広がったと言えます。セウォル号惨事と朴

槿恵政権の没落のなかでかつて若者たちの間では「ヘル朝鮮」といって韓国を地獄にたとえる言説が拡散しましたが、文在寅政権に入って逆に「クッポン（국뽕）」（国家＋ヒロポンが結びついた合成語）といって国家への誇りを表すような現象が見られるようになりました。もともと過度な民族主義を自嘲する言葉でしたが、それがだんだんと現実になりつつあります。音楽グループＢＴＳの人気や映画『パラサイト』のカンヌ映画祭受賞など文化大国としての自負も関係しているかと思います。

日本との関係についても、二〇一八年末のいわゆる韓国の徴用工裁判や日本による経済制裁を受けて日本製品不買運動が大衆的なレベルで展開されました。特に若い世代は安倍政権の日本しか知らないという残念な状況があるわけで、政治的に停滞する日本に対する認識はずいぶん冷淡なものに変わってきています。それ自体が問題というよりは、そうした歴史認識の高まりや民主化という「正しい」動きのなかで、躊躇なく自分たちを排他的な国民主体として立ちあげてしまうことに危うさも感じます。文在寅政権の国政能力や災害への対応が非常に安定的であったことは間違いないにしてもです。今だって韓国の階層格差はＯＥＣＤのなかで最も大きいですし、労働災害死亡率や自殺率も非常に高いです。ジェンダー・世代・階層など内なる民主化への要求が高まっている現実を見ずに、進歩派がかつてのような反独裁で正義を標榜することはできなくなっている。さらに、移民・難民・在外同胞などの内なる他者、分断・統一問題への関心はもっと周辺にあります。

こうした現象は原理的には国家のレベルだけでなく、済州島や沖縄という島のレベルでもありうることですね。呉さんは最初の記事で「オール沖縄」という主体の危機をアジアへの視点の欠如とともに述べておられますが、その危機は沖縄内部でたとえばナショナリズム対トランスナショナリズムといった形で意識化されているのか、それとも意識化すらされない、より構造的なものなのか。だからこそ基地に抗する主体を一瞬でも立ち上げようとする必死の身振りなのか、といったことを考えたりしました。

呉　先ほどの司会者の話を聞いて思い出した文学作品があります。キム・スムさんの『ひとり』（三一書房、二〇一八年）という作品です。これは韓国でもそれほど多くない「慰安婦」問題を扱った作品です。

この作品は、「慰安婦」にされた被害者の最後のひとりが残されたという設定となっていて、だから「ひとり」というタイトルです。しかし作品を丁寧に読むと、「ひとり」には少なくとも別の三つの意味があることがわかります。第一に、主人公は「カミングアウト」していない被害者なので、実際には二人生きていることになるのですが、いずれにせよ被害者は孤絶しています。その意味で「ひとり」です。第二に、この小説は注が三〇〇以上もあります。そしてその全てが実際の証言を参照するものです。『ひとり』の登場人物はその多くの証言によって作られており、そのため「ひとり」は複数を抱え込んでいます。「ひとり」は多数でもあるわけです。第三に、少し注意を払って読むと、「ひとり」は、「慰安所」に入ってくる一人ひとりの日本兵のことを暗にほのめかしています。

つまり孤絶しつつも共通する経験によって、ひとりが多でもある被害者の様態があり、しかし他方で、ひとりを攻撃してくる無数の一人ひとりがいる。この「ひとり」をめぐる葛藤が、この作品でそっと示されています。

司会者の先ほどの問題提起は、自分と他者を関係づけながらも、しかし他者を排除することで「自分」を確立する構造が、連鎖的に「辺境」にも持ち込まれ、孤絶する辺境においてさえ、さらなる排除を引き起こしてしまう、ということでもあるのだと思います。孤絶しがちな島＝辺境も、排除する側に立つ「ひとり」から免れるわけではないのです。

しかし構造的な暴力の島＝辺境への転嫁は、そこが島そして辺境だからこそ、「難民」「移民」となることや「スパイ」扱いされるなどの他者の経験を共有してしまう可能性を開くようにも思います。そして、孤絶しているかもしれないけど複数性を帯びた「ひとり」が、実は沖縄では事あるごとに立ち上がっています。少し前に私は、沖縄戦のときの朝鮮人について、沖縄のあるところで講演をしたことがあります。その際、沖縄の人々も朝鮮人たちに対し加害の側に立つことがあったと話しました。そのとき沖縄戦を経験した九〇歳近い方が、「同じような境遇にあったのに申し訳なかった」と、私に謝罪をしたのです。胸の塞がれる申し訳ない気持ちになりましたが、その方のなかで他者である朝鮮人の経験が自分と重なり合ったようにも見えました。そのように構造化された暴力を解体するような「ひとり」の質的転換が、島＝辺境だからこそ起こりうるのではないでしょうか。そこに排除の連鎖を止める可能性があるかもしれません。

早尾　島＝辺境だからこそ構造化された暴力を解体するような「ひとり」の質的転換が起こりうるという呉さんのお話、とても重要なことと思いました。構造的な排除の暴力とその連鎖ということで言えば、パレスチナ／イスラエルにおける暴力というのは日々の現象においては凄まじい流血を伴うものですが、歴史的・本質的には排除の暴力の連鎖であり、それによるアイデンティティの暴力でもあるわけです。ヨーロッパ近代国民国家の形成過程で、ユダヤ教徒を「非国民」として排斥する反ユダ主義が反転して、ユダヤ教徒を人種アイデンティティに基づかせるシオニズム運動が発生しますが、そのシオニズム的入植・占領がパレスチナにおける抵抗のナショナリズムを喚起しました。ほかのアラブ人と区分されたパレスチナ人アイデンティティの発生ですね。性急に現代に飛びますが、一九九三年のオスロ和平合意以降、パレスチナ自治政府はヨルダン川西岸地区とガザ地区のみで議会選挙を行ない、かつてＰＬＯが代表してきた域外難民を切り捨てます。あたかも西岸・ガザ両地区のパレスチナ人のみが来るべきパレスチナ国家の「国民」であるかのようなナショナリズムへと変貌します。さらに二〇〇六年の議会選挙でＰＬＯが支持を失い、対抗勢力のハマース（イスラーム色が強いとされるが入植・占領を批判する原則的姿勢が支持された）に敗北すると、PLOはイスラエル・米国の支援を受けて武力クーデタを起こし、ハマース勢力をガザ地区へと押し込め、選挙結果を無視して西岸地区を実効支配します。もはやＰＬＯはガザ地区を切り捨て、民主主義をかなぐり捨ててでも、イスラエルと米国に依存した枠組みにしがみつこうとしているのが現状です。

これは、「排除の暴力」の成れの果てと言えます。もはやナショナリズムでさえない。呉さんが「オール沖縄」を論じられましたが、「オール・パレスチナ」つまりＰＬＯとハマースの連立政権、あるいは域外難民やイスラエル・アラブも含めたパレスチナ・ナショナリズムは完全に崩壊してしまっています。しかしその崩壊は、ヨーロッパ・ナショナリズムの排除の暴力の連鎖の帰結でもあるわけです。そのすべてから最終的に排除されて封鎖までされている〈極限〉状況にある「辺境」たるガザ地区にいかに向き合うことができるのかに、排除の暴力の連鎖を止めるカギがあるのだろうと思います。呉さんの紹介された、他者の経験の重なりで言えば、ホロコースト・サバイバーを両親に持つ在米ユダヤ人のサラ・ロイさんのような人が、ユダヤ人の歴史経験とユダヤ教の宗教倫理を踏まえながら、徹底してガザ地区に対するイスラエルの占領政策の分析と批判にこだわるところにも、その可能性を示す重要な例だと思います。

さて、そのことにも関わって、先ほど趙さんが「ナショナリズム対トランスナショナリズム」という問いかけを呉さんになされました。呉さんが言われたように、「オール沖縄」の背景には「仮想敵国」が、つまり「北の脅威論」があるわけです。朝鮮民主主義人民共和国を仮想敵として、自らの国家主義や国民主義や軍国主義を煽ったり正当化したりする手法が、ポスト冷戦期にもなお政治言説として幅広く力を持ってしまっています。あるいはその仮想敵は、日本にとっては中華人民共和国であり、反中国感情も相当に高まっています。この古い冷戦的思考が日本社会のマジョリティの思考に、アジアへの視点を欠落させている要因になっていると思います。逆にそういう短絡に与せずに、あらためて冷戦構図に回収されない共産主義や社会主義の「理念」を参照して、歴史や現在を見直すことに意義があると思います。民族か階級か、ナショナリズムかインターナショナリズムか、ではなく、その双方を単純に二択で対立させずに一定の総合を図ることは、むしろ一九世紀末から二〇世紀初頭の欧州でも、二〇世紀中に脱植民地化のプロセスにあったアジア・アフリカ・ラテンアメリカの各地でも、広く共有された試みでした。ナショナリストとコミュニストとが、路線対立をしながらも共闘と妥協を重ねてともに脱植民地化・独立を目指していきました。イスラエル建国以前のパレスチナ共産党の周辺でもそうでしたし、建国以降の共産党にルーツを持つ諸党派は格差＝差別の克服とともにユダヤ人とアラブ人の共存の理念によってシオニズムを批判しています。結局イスラエル建国＝パレスチナの分断の一九四八年と同時期に南北朝鮮も中国・台湾も分断され現在に至るわけですが、その分断を乗り越えるのは困難としても、せめて「仮想敵」思考やそれに基づく国家主義・軍国主義は思想のレベルで乗り越えていく道筋は考えるべきだと思います。そこから東アジア冷戦史を見直す別の視点が得られたり、国境や分断線の向こう側への現実的で具体的なり眼差しが得られたりする可能性が開かれるのではないでしょうか。

呉　ウェスタッドは『グローバル冷戦史――第三世界への介入と現代世界の形成』（名古屋大学出版会、二〇一〇年）のなかで、モスクワやワシントンの対第三世界の目標は、搾取や制圧ではなく、「統制と改善」だったと述べています。「統制と改善」は、少なくとも単なる抑圧的関係ではないことから、両大国と関係する第三世界とのあいだで援助等の調整を生むことになります。つまりある程度相手の意見を大国は聞いたということです。そしてそのような「統制と改善」、構造化された調整は、第三世界に対してだけでなく、日本や韓国に対しても適用されたように思います。

たとえば、サンフランシスコ講和条約、日米安保条約発効前のことですが、一九四七年に天皇最後の勅令、「外国人登録令」が公布され、朝鮮人や台湾人を一方的に「外国人と見なす」とされたとき、GHQは特に反対しませんでした。あるいは六〇年代に在韓米軍が削減されようとしたとき、朴正熙大統領は韓国軍をベトナムに派兵してまで同盟関係をアピールし、米国に削減を思いとどまらせています。これらのことも、米ソそれぞれの基準や許容範囲内での「統制と改善」、その範囲内での日本と韓国の要求の調整であったと見ることができます。そして沖縄でも、翁長元知事がたとえ過度の基地負担への意義を申し立てていたとしても、日米安保条約を首肯し、また翁長氏の発言に垣間見られた北朝鮮を「仮想敵」と見なす思考には、

「統制と改善」に連なっていく冷戦思考の残響があったように思います。早尾さんがおっしゃるように、ここに沖縄において乗り越えるべき「仮想敵」思考があります。

その冷戦思考、「仮想敵」思考の乗り越えに関連してですが、趙慶喜さんは論考の第一回目と第四回目で閉鎖的な状況、思想的な後退を突破していく方法を語っていたように思います。第一回目では、「歓待」を「整頓」し、求められる「歓待の方法と体系」を難民に対し実践しながら作り上げていく必要が語られています。第四回目では、「複数の主体」という観点から、「証言の「背後」になること」が言われています。とりわけ「方法としての背後」は重要に思えました。「歓待」や「背後になること」といったことの可能性について、あらためてお聞かせください。

趙　「複数の主体」ということについて言いますと、いわゆる「ろうそく革命」と呼ばれる一連の流れについては、もちろん右派のバックラッシュも高まってますし、また「反日種族主義」のような歴史修正主義もありますが、民主化勢力や既得権をとりまく世代間・階層間・ジェンダー間の葛藤のほうが本質的に重要な論点を含んでいるのではないかと思います。民主化世代が自らの権力に鈍感であるという批判はまさに今起こっていて、二〇－三〇代の人たちと話していると本当に問題意識の多様さを感じます。もちろんそれだけをもって複数の主体と讃えたいのではなく、どのように自分たちの個別の正義や人権を他者の痛みにつなげられるかという過程にあると思います。別の言い方をすると、韓国社会では多文化とか他者との共存可能性への省察がようやく本格的に始まったと言えるかもしれません。二〇一八年の難民をめぐる狂騒を経て、済州島だけでなく各地域社会が日常のなかで移民や難民と実際に共存しているという事実に注目していきたいと思ってます。

呉さんが目取真俊を引用しながら「他者の生や記憶に連結していて、転写し合える関係を生きている」と書いてましたが、この表現は抽象的ながらもとてもピンとくる言葉でもありました。他者の歴史を学ぶということはまず第一に大事なことですが、倫理主義的に接近することの限界もまた同時に感じます。むしろ記憶や身体、情動のレベルで触発されたり、それこそ「転写」し合うことの可能性もあると思います。たとえば、慰安婦問題と#MeToo運動とか、光州抗争とセウォル号事件とか、またカンジョンと辺野古もそうですが、時間と空間を経て刻まれたトラウマや痛みがつながるような感覚を開いていくこと、暴力の歴史を経たからこそそうした可能性が開かれるのだと思います。これは単なる理想論ではなく、実際に韓国の文学や映画からはそういった感受性が多く見られます。最近読んだファン・ジョンウンの『ディディの傘』（斎藤真理子訳、亜紀書房、二〇二〇年）は、セウォル号惨事やろうそくデモ、朴槿恵退陣といったここ数年の出来事に触発されていると思いますが、朝鮮戦争をはじめ韓国の現代史全体を背景とするような書き方をしています。また、慰安婦被害者たちが学費に困っている学生の援助をしたり奨学金を与えたりする事実からも、とても多くのことを考えさせられます。彼女たち自身もまた若い世代に自分の記憶を重ね合わせたり「誰かの背後になる」ことを願っているということなのだと思います。

呉　自分たちそれぞれの正義や人権や、そして経験をいかに他者の痛みにつなげられるか、というのはまさにその通りだと思います。そしてその際、倫理主義的な接近の限界とおっしゃっていたように、抽象的にではなく、具体的な現場、状況のなかで他者の痛みを想像し、迎え入れ、つながっていこうとすることが重要で、それが結果的に「背後になること」や「複数の主体」を立ち上げていくのだと思います。

これに関連して、先ほどの「仮想敵」思考を克服していく別のアイディアとして、憲法的なものの構想、憲法的なものが体現する思想をあげてもいいかもしれません。たとえば沖縄では、川満信一による「琉球共和社会憲法C私（試）案」（一九八一年）があります。

少し前に話しましたが、沖縄の復帰運動は、「日本」とは、「沖縄」とは、「国家」とは何かという巨大な問いを残しています。

川満の琉球共和社会憲法試案は、「社会憲法」とあるように、国家を否定し、人種や民族などを超えて全ての人が社会に参加できるという思想が込められています。またその「社会」は「琉球民族」だけの場ではなく、他者にも開かれたものとして構想されています。たとえば、共和社会のメンバーは民族や国籍が問われないことが記された第十一条に読まれるようにです

（十一条）琉球共和社会の人民は、定められたセンター領域内の居住者に限らず、この憲法の基本理念に賛同し、遵守する意志のあるものは人種、民族、性別、国籍のいかんを問わず、その所在地において資格を認められる。（以下略）」。そのように川満憲法は、復帰運動を独自に問い直し、さらには国家を否定していくことで「仮想敵」思考を根本から解体していこうとする性格を持っています。

こういった川満さんの発想は、在日朝鮮人にもあって、徐京植さんは「新しい民族観を求めて」というエッセーのなかで、「パレスチナ民族評議会（ＰＮＣ）のような、世界中に離散した「朝鮮人」たちの代表が一堂に会する最高議決機関という「夢」はどうだろう」という話をしています。その夢において朝鮮人たちは「国籍」に縛られていません。

あるいは一九六八年改訂の「パレスチナ国民憲章」もこの構想、思想に連なっているように見えます。その第一条には「パレスチナは、アラブ・パレスチナ人の祖国であり、〔…〕パレスチナ人は、アラブ民族の不可欠な一員である」とあるように、沖縄、在日朝鮮人の思想と響き合うところがあるためです。

もちろん「パレスチナ国民憲章」は（翻訳上は）「国民」とあり、川満社会憲法との差異があります。とはいえこういった下からの社会の構想、あるいは諸地域の思想を響き合わせることが、国家に先手を打って、辺境のつながりを回復させ、「仮想敵」思考を克服させるかもしれません。

この鼎談の最初で触れましたが、早尾さんは序論で、三地域の「三点観測」で、それぞれの地域の状況を測量してみると書かれています。早尾さんの論考を読み直して思ったのは、パレスチナという一点は、ほかの二つ地域に比べて深度がはるかに異なるのではないかということです。先ほど私は島＝辺境における共通する経験といったことを話しましたが、しかしパレスチナから見えてくるのは、比較を絶する「民族浄化」状況の凄まじさです。「辺境」で、軍事占領の「最前線」で、そして占領政策の「実験場」にパレスチナがなっている。「残余の声」を聴きとることさえ極度に困難です。早尾さん担当の第四回目で、被害を伝える「ＳＮＳでの投稿」があまりに多く、状況を「追う気力が失われた」と言っているのは、とても印象的でした。第四回目の論考で早尾さんがＢＬＭを論じるなかに、その最悪の状況を終わらせていく可能性のようなものがわずかに示されたように見えますが、パレスチナの絶望的な状況はどのようにしたら抜け出せるのか、ほかに考えていることがあればお聞かせください。またこの極限的な状況を、ほかの二つの地域にどう活かせばよいのでしょうか。

早尾　どのようにしたら抜け出せるのか、それは当事者らもみな悩み模索し続けているわけで、とても私がここで示すことなどできないのですが……。まずは、呉さんが並べて論じられた憲法／憲章について応答したいと思います。一般に日本語では「パレスチナ国民憲章」と翻訳されますが、英語で「ナショナル」つまり「ネイション」、アラビア語で「ワタニー」つまり「ワタン」ですので、国民ないし民族あるいは祖国ないし故郷の意ですね。一九六〇年代にPLOがこれを制定したときには、イスラエル領となった地域も含む歴史的なパレスチナ全土を対象とし、そしてイスラエル領でマイノリティとなったパレスチナ人から域外へ離散したパレスチナ難民までも含む全パレスチナ人を想定していました。つまり、現実にはもはや奪われた想像上の故郷と、そして国籍や領土を超えたやはり想像上の「民族」的集合を考えていたという、きわめて理念的な側面が強いのですが、同時にこれは「憲章」であり、来るべきパレスチナ国家独立を念頭に置いている側面もあり、その意味で将来的な「国民」の含意もあったわけですね。

ところが、先にも述べましたように、一九九三年のオスロ合意でPLOは自ら難民を切り捨て、イスラエル国家承認でイスラエル領のパレスチナ人を切り捨て、そしてついに二一世紀に入ってガザ地区をも切り捨てました。加えて言えば、今年二〇二〇年には一気に四つのアラブ諸国（アラブ首長国連邦、バーレーン、スーダン、モロッコ）が米国の後ろ盾でイスラエルと国交を結びました。呉さんに示していただいたパレスチナ国民憲章にあるようなアラブ・ナショナリズムの理念など完全に消え去っています。ある意味で一九六七年の第三次中東戦争での大敗のときからそうだったのだろうと思いますが、半世紀経ってそれが最終的に露呈したかたちです。

憲法＝憲章というものは、かくあるべしという「理念」を示すものであり、それが逸脱した現実に対する批判的統制として働くはずのものです。その点で、パレスチナ国民憲章は、まさに故郷喪失と離散を経験したパレスチナ人にとっての「理念」、遠く掲げた理想だったと思いますが、しかしもはや批判的統制など効かない隔絶した悲惨な現実があり、そのギャップはもはや絶望的な状況としか言いようがありません。

そしてその絶望的な状況だからこそ、この問題がいかに普遍的な意義を持っているのかということと、そして現実的にもこの状況が孤立して生まれているのではないということを認識するのは大事なことです。比較を絶する直接的暴力が蔓延しているのは事実ではありますが、パレスチナ／イスラエルを特殊なものとして孤立化させればさせるほど、その暴力の看過・黙認がまかりとおっていき、暴力がさらにエスカレートしていきます。そこに歯止めをかけるためにも、「三点観測」というのは重要になってくると思います。

具体的に言えば、一九四七年にパレスチナ分割決議がなされて、それに不満を持つユダヤ軍とアラブ軍とが戦争を開始し、四八年にイスラエルが建国されるわけですが、同時期に東アジアでは、一九四七年に「天皇メッセージ」として「米国による琉球諸島の軍事占領の継続を望む」という意向が米国に伝えられ、四八年に沖縄の保有を米国務省が支持し、トルーマン大統領が承認します。その四八年に南北朝鮮が分断独立し、五〇年から朝鮮戦争。そのまさに戦争下でサンフランシスコ講和条約が調印・発効され、それによって琉球列島が切り離されたわけです。これは、各地で分断がたまたま同時に生じたとか外形が似ているというだけでなく、第二次世界大戦までの帝国主義・植民地主義・人種主義の精算と大国利権の再編ということで密接につながっているわけです。欧米のユダヤ人問題と中東の植民地支配とを戦後世界にうまく適合させることと、そして日米合作の東アジア冷戦を沖縄と朝鮮半島の分断によって優位に展開すること、これはいずれも呉さんの紹介されたウェスタッド『グローバル冷戦史』の内容にもつながっているわけです。

パレスチナ／イスラエルを特殊な宗教対立として孤立化させないためにも、呉さんと趙さんの連載やご発言は強く参照されるべきものだと感じています。

またBLMの運動についても、連載で触れましたように、「ブラック」のところに「パレスチナ人」を代入すればいいわけではなく、むしろ先に呉さんがおっしゃった「他者の経験の自分への重なり合い」のようなものを見いだしていく作業が大事なのではないかと思います。ヨーロッパのユダヤ人迫害が、ユダヤ人国家を正当化する方向にではなく、歴史的にはヨーロッパの「内なる他者」（ユダヤ人）と同時に見いだされた「外なる他者」としてのアフリカ人と、レイシズムの発生においてつながっており、同時に「反セム主義」としては「反アラブ」ともつながっていること。いかに迫害・差別する側／される側を越境しながらこれを共通理解としていけるのかにかかっているのだと思います。

呉　早尾さんの応答に関連してですが、趙慶喜さんが論考のなかで指摘していた、韓国のへイトは女性嫌悪からまず表面化したということは、大変深刻な現象だと思います。日本の場合は、外国人嫌悪としてヘイトが始まり、拡大していったところがありますが、その拡大過程で「慰安婦」問題についてのお決まりの否定が起こっており、外国人嫌悪は女性嫌悪と手を携えています。この点で韓国での女性嫌悪としてのヘイトと、歴史修正主義としての日本のヘイトは共犯的に補完し合うおそれがあります。またヘイトであれ、進歩派の道徳的言説であれ、大きすぎる声、つまり大文字の主体を立てて語ることや、一般化しすぎる道徳的規範は、ジェンダー問題にはそぐわないところがあります。小さな声を聴くこと、残余の声を聴き取ることとジェンダー問題についてては、私はほぼ論じることができませんでした。

早尾　私もやはり連載ではそこには踏み込むことができず、趙さんの論考を改めて読み直しては、とても大切な視点にハッとさせられています。また、日本軍「慰安婦」問題に、裁判支援でも歴史認識論争でも、学生時代からコミットしてきた立場としても、多くのことを学ばせてもらいました。それと同時に、金学順さんや宋神道さんのカミングアウトから三〇年の経緯を振り返ると、ジェンダー認識とアジア認識における日本社会の反動化・衰退の流れは、韓国社会の側にミソジニーや反日バッシングがあろうと、そしてその両者に共犯関係があろうと、あまりに酷いと感じています。つまり韓国内の思想的・運動的なダイナミズムに比して、日本社会の停滞は対照的とさえ見えます。

趙　ヘイトの問題は、歴史的に蓄積された憎悪、それから生理的で身体的な嫌悪やフォビアが混在した現象ですよね。つまり比較的最近になってグローバルな同時代性のなかで問題となってますが、ヘイト・スピーチはバトラーが言うように偶発的で単発的な行為ではなく、それぞれの社会の言語的習慣の反復のなかで現れるものです。日本ではヘイト・スピーチの原初が「チョーセン」だとしたら、韓国では「パルゲンイ（アカ）」だったと思います。ただ、こうした反共主義的な言辞が二一世紀にはさほどヘイトとして影響力を発揮しなくなってます。そうしたなかで、ここ数年で一気に大衆的なイシューとなったのが女性嫌悪や同性愛嫌悪、つまりジェンダー・セクシュアリティ問題だったと言えます。もちろん韓国の強力な家父長的文化のなかで女性嫌悪は常にありましたので、それは女性によって再発見されたというべきです。

その点については第二回目の記事で詳しく書きましたので、ここではやや別の論点について考えたいのですが、早尾さんの記事は一貫してパレスチナ人への圧倒的な暴力を人種主義や歴史修正主義などそれぞれ別の角度から論じておられました。どれを読んでも絶句するもので、知らないことばかりだったのですが、それをこれまで私たちはさほど気にせずにいられたということをあらためて思い知りました。この時代にこれほどの剝き出しの暴力と人種主義が問われないこと、つまり知の枠組みそのものが歪んでいるということです。歴史の世界から排除され取り残された国家という意味では、朝鮮民主主義人民共和国とも通じるものがあります。「パレスチナ人は動物だ」はかつて韓国で言われた「北韓人には角が生えている」と同等の人種主義だと思います。ここで思うのは、こうしたヘイトが成り立つのは遠くではなく近くの内なる他者であるということです。同族であったり、隣人であったりする近くの他者に対するとてつもない強度の暴力と嫌悪。それこそ済州島の四・三とか朝鮮戦争における同族同士の血の争いがそうですし、イスラエルとパレスチナ問題もそうだと思います。現代のヘイトを批判するためには、やはり歴史的に遡って起源や系譜を考えていく、さらにそれぞれの歴史を突き合わせていく。これまでの三点観測や今回の鼎談もそういうふうに受け止めています。

最後ですが、先ほど早尾さんが指摘されたここ三〇年の日本社会の反動化の流れ、それから呉さんが指摘された日本の慰安婦否定論に見られる歴史修正主義と女性嫌悪の結びつきはまったくその通りだと思います。歴史問題とジェンダー問題を逆の角度からつなげてみますと、ここ数年の韓国のフェミニズム・リブートや#MeToo運動の高まりは、やはり慰安婦運動の蓄積と無関係ではないです。つまり慰安婦問題が大衆化することで、被害者の声を聴くという経験を積み重ねてきたという側面を無視できない。慰安婦被害者という歴史の証人に敬意を払う感覚が、現在の性暴力被害者たちへの尊重にもつながっているはずです。もちろん日本でも多くの方々が慰安婦問題に取り組んできましたが、慰安婦否定論が繰り返されてきたなかで日本人被害者は声を上げられずにきましたし、そうした経緯が現在の#MeToo運動をも不可視化してしまっている。日本でのこうしたジレンマについては、山口智美さんや菊池夏野さんなど日本の比較的近い世代のジェンダー研究者の方々から学ばせてもらっています。アジアの歴史とジェンダーをつなぐ慰安婦問題は、やはりポストコロニアル・ポスト冷戦の三〇年を考えるうえで本質的に重要だったと思います。

早尾　ジェンダー視点のことに加えて、趙さんの今のご発言のなかで、「近い他者」にこそヘイトを抱くというご指摘と、それから「知の枠組み」が歪んでしまっている、というご指摘がとても大事なことと感じました。ヨーロッパのユダヤ人問題でも、パレスチナ／イスラエル問題でも、そもそもが明確な区分などできない人間コミュニティのなかに、暴力的で恣意的な分断が持ち込まれて、さらにそれを正当化し実体化する言動が蔓延してきたわけです。レイシズムというのは人種的区分に基づく差別ではなく、逆にそんなものなどないにもかかわらず人種的差異を言い募るところに発生する暴力です。経済生活や宗教文化や知的伝統を差異もはらみつつ共有しながら歴史を積み重ねて暮らしてきたはずの人々のあいだに、外的要因つまり帝国主義や植民地主義で持ち込まれた政治力学によって無根拠な憎悪が植え付けられて煽られてきました。ポストコロニアリズムが盛んに論じられた一九九〇年代から二〇〇〇年代がありましたが、それが不十分なまま衰退し、私たちのレイシズムやヘイトは修正できていません。それこそ「知の枠組み」の歪みというのは、植民地期の直後に地続きで冷戦期に入り、近・現代を通して歪みっぱなしなわけですね。支配のオリエンタリズム（東洋学）が冷戦期のエリア・スタディーズ（地域研究）へ、さらに二一世紀の新たな「仮想敵思考」（しかもその仮想敵は「共産主義」から「イスラーム」へとスライドした）へと更新・継承されていったことを喝破したのは『ポスト・オリエンタリズム』のハミッド・ダバシでしたが、私たちの認識の歪みはその歪みを自覚できないまま現代に至っています。それは間違いなくジェンダー認識についても当てはまることで、私たちが昨今の研究の進展で気づきつつあることよりもはるかに根底的なところで、男性中心主義的な歪みが染み付いていて、とりわけ日本社会においては際立って立ち遅れているのですが、現実の変革ができない、むしろ後退さえしているというわけです。趙さんのご指摘、とても大事なことばかりでした。

司会　ありがとうございました。オンラインでの鼎談でしたが、大変深い議論ができたと思います。Ｗｅｂでの連載を始めるあたって「残余の声を聴く」というタイトルを思いついたのは、グローバル化・新自由主義・保守主義に「同一化」した日本の言説空間のあまりに息苦しい状況にあって、「他者の声」を聴きたい、その息づかいを感じたいという切実な思いがあったからでした。酒井直樹さんの「残余の視座」に着想を得ながら、人々が自由に移動し声を響き交わすような空間を求めてのことでしたが、現在（二〇二一年三月）、皮肉にもコロナ禍にあって、国境を越えた移動ばかりか国内移動すらも制限され、とりわけ日本では国家主権による強権的な規制や保護を求め、自由に〝声〟を発することすら自粛を求められています。オンラインで他者の身体が画像となり、日々人々の生死が数値化され、「生‐政治」が全面的に受け入れられようとしているかのようです。

しかし、このことは単なる偶発的な「例外状況」ではなく、日本の閉塞性、つまり自己同一化（ひきこもり）の極限形態であるかのようです。国境・国籍・人種・性差など、さまざまな境界を設けて、国民的あるいは帝国的権力に向けて自己同一化を図る、そうした主体化の戦略の自己撞着は文字どおり息苦しさを越えて窒息死しかねない状況です。

そうしたなかで、今回、「三点観測」という方法によって、日本のみならず世界が陥っているこうした閉塞状況を、「辺境」という「前線」において可視化し、そこに埋め込まれた暴力の構造を「声」として響かせながら、分析を加えていただきました。それは、第二次世界大戦後に沖縄・韓国・パレスチナに共通する領土化と排除を基調とする植民地主義の構造と、その後の冷戦下にあっては「統制と改善」による植民地主義の継続を明らかにするものでした。それは、今日においても、まだ克服されているどころか、それへの抵抗すらも困難になっているようですが、そのなかにあって、「複数の主体」のつながりの可能性を示唆してくださいました。

「残余」は、固定化された主体でも客体でもなく、主体が立ち上がるとき、つねにその「背後」となって、その声に耳を傾け、それに応答しようとすることによってみずから主体となるようなものです。その意味で、この本の制作過程、Ｗｅｂによるリレー連載とオンラインでの鼎談という主体の連鎖の在り方そのものが、一つの試みとして、編集者である私にも大きな可能性を感じさせてくれるものでした。それが、多くの読者に「複数の主体」としての希望を与えてくれるものとなることを願っています。

改めて、お三方に感謝いたします。

あとがき

趙慶喜

本書は、二〇一九年五月三〇日から二〇二〇年九月一〇日まで計一三回にわたって〈Webあかし〉で連載された早尾貴紀、呉世宗、趙慶喜による記事をまとめたものである。書籍化にあたっては、原則として加筆は施さず、連載時の記事をそのまま収めた。その代わり、連載終了後に各自の論考についての意見交換を中心にしたオンライン鼎談を二度行ない、その内容を補論として収録した。

明石書店の関正則さんに連載の依頼を受けたのは二〇一九年初頭であった。三ヶ月に一度韓国から長めのレポートをしてほしいという趣旨の依頼であったが、ちょうど二〇一八年に朝鮮半島情勢に大きな変化が生まれた時期であったため、南北関係や東アジアの政治情勢については別の適任者にお任せしたい、もう少しミクロな社会の変化についてであれば書いてみたい、とお伝えした覚えがある。いざ連載を始めてみると、韓国で当たり前のように交わしていた言葉の温度やその文脈を、日本語でどう伝えるのかということに予想以上に手こずった。都合のいい切り取り方をしていないか、現場にいる人々が読んだときにどう感じるか、安全なところから語っていないか、といった問いがぐるぐると頭のなかを回っていたように思う。特に第四回目の「慰安婦」運動と被害者をめぐる新たな事態については、締切りが過ぎても一行も書けずに途方に暮れてしまった。文化や社会を翻訳することの意味と同時に、自らの位置や当事者性を否応なく考えさせられた。

沖縄・韓国・パレスチナで起きている問題を出し合うことで、私たちは同時代的な共通性よりも差異や格差と向き合うことになった。沖縄戦の痕跡を東アジアの植民地支配と冷戦の文脈に重ね合わせる呉世宗さんの論考を通して、私はもはや沖縄を外して朝鮮半島の歴史や現実を考えられないと思い知った。また、世界規模で続けられるパレスチナへの凄まじい暴力にいかに私たちが加担しつつあるのかを、早尾さんの記事は力強くまっすぐに訴えてきた。お二人の原稿を読むたびに、私自身も「残余の声」という連載の趣旨に何度も立ち戻った。韓国における難民やミソジニー、「慰安婦」証言というテーマも、お二人の論考に触発されたものである。もちろん、三点観測というやり方が果たしてうまくいったのかどうかは読者の判断に委ねるしかない。

本書の内容は、それぞれ異なる空間での具体的な出来事をもとにしているが、連載の過程で妙にシンクロしている感覚を覚えたのは、著者三人がほぼ同世代であることが関係しているのかもしれない。一九九〇年代初頭に大学に入学した私たちにとって、脱冷戦やグローバル化、国民国家批判や歴史修正主義への問題意識は通奏低音としてあったと思われる。さらに、私たちがみな何らかのかたちで移住者であることも、それぞれの地域と問題を複合的に捉える上で影響を及ぼしているかもしれない。ウチナンチュ、韓国人、そしてパレスチナ人ではない位置からの観点や省察の痕が本書の随所に見られることと思う。

連載開始から二年も経たないうちに書籍化を実現することができたのは、ひとえに早尾さんの推進力のおかげである。常に頼もしく私たちを率いてくださった。呉世宗さんのプロフェッショナルかつ柔軟な思考にいつも感心させられた。古くからの友人である呉さんと一緒に仕事ができたことを嬉しく思う。明石書店の関正則さんの的確な助言と絶妙な賞賛が私たちの士気を高めてくださった。最後まで原稿提出が遅れがちであった私を大目に見て励ましてくださったお三方に感謝したい。コロナウイルスのせいで、みなさんに画面でしかお会いできなかったことだけが心残りである。

あとがき

呉世宗

沖縄、韓国、パレスチナ。本書は、三点観測の試みとして三人が書きつないだ序論と一二のエッセーで構成されている。四つのテーマに分けられた各エッセーは、それぞれの地域を独自の観点から浮かび上がらせている。

沖縄について担当した私は、リレー連載開始時当初、パレスチナと韓国とにつなげるものをと考えていた。だが、早尾貴紀さんや趙慶喜さんのエッセーを読むと、安易につなげるのはかなり難しいと早い段階で気づいた。何度も行き来し、また客員研究員として一年滞在した韓国であっても、今私が暮らす沖縄より知っていることがはるかに少なく、パレスチナに至っては行ったことさえなく、書籍で得た知識や観た映画の記憶に頼りつつも、早尾さんの書いたものを通してあらためて学び直す有様であったからだ。そもそも沖縄についてさえ、私がまだまだ知らないでいる事柄が多くある。つなげるどころか、むしろ、趙慶喜さんや早尾さんが書く生々しい現実の一端をエッセーから感じ取りつつも、その現実との距離を測定しかね、たじろいでいたのが実際のところである。もう一方でこのたじろぎは、韓国、パレスチナの今が立ち現れてくることで突きつけられる想像力の限界であったようにも思われる。私たちの想像力は特定の環境のなかでいかに限定的に働いてきたのか、私たちは自分が生きる社会の外に対してどれほどの想像力を発揮しえたのか。私がパレスチナや韓国について読むことで痛感したことの一つはこれである。本書に収められた韓国のフェミニズムについてや、パレスチナで起こっている「民族浄化」などのエッセーを読まれる方々のなかにも、もしかしたら戸惑いを覚え、想像力の限界を感じる人がいるかもしれない。しかしそれは悪いことではない、と私は思う。限界とは、行き止まりでありつつスタート地点でもあるからだ。こういう事が起こっているのか、という驚きや発見から知ることとの歩みが始まっても全く問題ない。

もう一つ、リレー連載を通じて私が感じたのは、沖縄の「今」と私の関係を意識せざるを得なかったということである。これは、沖縄のさまざまな今に関心を寄せ、アンテナをどれだけ張れているかということでもあるが、それよりも、これが今沖縄で起こっていることだと切り取る、私自身の認識に対する責任の問題である。認識の浅さ深さや正確さの程度に応じて、切り取ることとの暴力が生まれるからだ。もちろんこのこと自体は特段目新しい気づきではなく、むしろ当然自覚されるべきものにすぎない。だが、この認識する私について自覚的であったからこそ、私は沖縄に対してわずかばかりの貢献をしえたとも思っている。

私は沖縄で暮らしているが、「ウチナンチュ」「沖縄の人」とは異なる存在であり、そのため沖縄との関係は日々緊張関係にある。もちろん私も、新基地建設を強行する日本政府や夜一〇時を過ぎても軍用機を飛ばしたりする米軍に対し、沖縄の人たちと同じく強い憤りを覚える。しかしそれだけでなく、玉城デニー県知事がいまだヘイトスピーチ規制条例を作れないことや、沖縄戦や基地問題などでは地道な取材に基づく秀でた記事を提供するのに、天皇の代替わりをそろって賛美した沖縄二紙などにも怒りを覚えることがある。加えて言えば、「反日」という言葉を安易に使う傾向の見られる沖縄社会に対してもだ。そのような米軍や日本政府だけでなく、沖縄社会にも向かう私の憤りは、自分のエッセーに少しばかり込めた。それは沖縄にとってどこか異質さを感じさせるかもしれないし、私自身を沖縄の中の余所者として浮き上がらせるかもしれない。しかしこの沖縄の今に対する異和の表明が沖縄に対する貢献だと私は考えるのである。この私をきっかけとして、そして私の韓国やパレスチナに対する戸惑いも引き連れて、自分たちが生きる社会の外に想像力が伸びていくかもしれないからである。私が本書の著者の一人となった意味は、ここに一つあるかもしれない。

想像力は個々人のものだが、しかし、互いに持ち寄ることもできるもののはずだ。互いに持ち寄り、そして観測地点を三点から四点、五点と増やしていくことで、個々人の想像力の限界は早々に突破されるかもしれない。多様なつながりを持つ豊かな「私たち」が、この突破の先に見つかることを期待したい。

早尾貴紀さんは、リレー連載のリーダとして本書の企画段階から引っ張ってくださった。おかげで私もどうにか役割を果たすことができ一安心している。韓国社会を多様に深く分析する趙慶喜さんは、だいぶ長い知り合いの先輩である。こうして一緒に仕事ができたことからすると何かしらの縁があったのだと思う。そして本書を担当してくださった関正則さん。リレー連載にお誘いくださり、私が不安な思いのなかで書いたものをこうして形にしてくださった。みなさま、どうもありがとうございます。

【著者紹介】

早尾貴紀（はやお・たかのり）

一九七三年生まれ。東北大学大学院経済学研究科博士課程修了。博士（経済学）。東京経済大学教員。ヘブライ大学およびハイファ大学に客員研究員として二年間在外研究。パレスチナ／イスラエル問題、社会思想史。

主な著書に、『ユダヤとイスラエルのあいだ――民族／国民のアポリア』（青土社、二〇〇八年）、『国ってなんだろう？――あなたと考えたい「私と国」の関係』（平凡社、二〇一六年）、『希望のディアスポラ――移民・難民をめぐる政治史』（春秋社、二〇二〇年）、『パレスチナ／イスラエル論』（有志舎、二〇二〇年）。共編著に、『ディアスポラから世界を読む――離散を架橋するために』（明石書店、二〇〇九年）、『ディアスポラと社会変容――アジア系・アフリカ系移住者と多文化共生の課題』（国際書院、二〇〇八年）ほか。共訳書に、サラ・ロイ『ホロコーストからガザへ――パレスチナの政治経済学』（青土社、二〇〇九年）、ジョナサン・ボヤーリン、ダニエル・ボヤーリン『ディアスポラの力――ユダヤ文化の今日性をめぐる試論』（平凡社、二〇〇八年）、イラン・パペ『パレスチナの民族浄化――イスラエル建国の暴力』（法政大学出版局、二〇一七年）、エラ・ショハット、ロバート・スタム『支配と抵抗の映像文化――西洋中心主義と他者を考える』（法政大学出版局、二〇一九年）ほか。

呉世宗（オ・セジョン）

一九七四年生まれ。一橋大学大学院言語社会研究科博士課程修了。博士（学術）。琉球大学人文社会学部教員。在日朝鮮人文学研究。

主な著書に、『リズムと抒情の詩学――金時鐘と「短歌的抒情の否定」』（生活書院、二〇一〇年）、『沖縄と朝鮮のはざまで――朝鮮人の〈可視化／不可視化〉をめぐる歴史と語り』（明石書店、二〇一九年）。主な論文に「海を渡る記憶と遠ざかる身体――金在南「鳳仙花のうた」と崎山多美「アコウクロウ幻視行」（『思想・文化空間としての日韓関係――東アジアの中で考える』明石書店、二〇二一年）、「はざまからまなざす――金石範「鴉の死」における主体・状況・言葉そして動物」(『言語社会』一四号、二〇二〇年)、「金嬉老と富村順一の日本語を通じた抵抗」(『琉球アジア文化論集』四号、二〇一八年)、「到来する歴史、積み重ねられていく小さな時間」(『越境広場』四号、二〇一七年)など。

趙慶喜(チョ・キョンヒ)

一九七三年生まれ。東京大学大学院人文社会系研究科博士課程修了。東京外国語大学にて博士(学術)取得。聖公会大学東アジア研究所教員。歴史社会学、マイノリティ研究。

主な共編著に『主権の野蛮――密航・収容所・在日朝鮮人』(ハンウル、二〇一七年)、『「私」を証明する――東アジアにおける国籍・旅券・登録』(ハンウル、二〇一七年)、共訳書に金東椿『朝鮮戦争の社会史――避難・占領・虐殺』(平凡社、二〇〇八年)、白永瑞『共生への道と核心現場――実践課題としての東アジア』(法政大学出版局、二〇一六年)、主な論文に「「朝鮮人死刑囚」をめぐる専有の構図――小松川事件と日本/「朝鮮」」(『〈戦後〉の誕生――戦後日本と「朝鮮」の境界』新泉社、二〇一七年)、「裏切られた多文化主義――韓国における難民嫌悪をめぐる小考」(『現代思想』二〇一八年八月号)など。

残余の声を聴く

沖縄・韓国・パレスチナ

2021年7月10日　初版第1刷発行

著　者　早尾貴紀
呉世宗
趙慶喜

発行者　大江道雅
発行所　株式会社 明石書店
〒101-0021 東京都千代田区外神田6-9-5
電 話　03（5818）1171
FAX　03（5818）1174
振 替　00100-7-24505
https://www.akashi.co.jp/
装丁　金子裕
組版　朝日メディアインターナショナル株式会社
印刷・製本　モリモト印刷株式会社

（定価はカバーに表示してあります）　ISBN978-4-7503-5224-4